GERMANISTISCHE ABHANDLUNGEN

—

GLASER · DIE RESTAURATION DES SCHÖNEN

STIFTERS »NACHSOMMER«

HORST ALBERT GLASER

DIE RESTAURATION

DES SCHÖNEN

STIFTERS »NACHSOMMER«

———

J. B. METZLERSCHE

VERLAGSBUCHHANDLUNG

STUTTGART

GERMANISTISCHE ABHANDLUNGEN 6

BIRGIT STAHL

ALS EIN GESCHENK ZUGEDACHT

INHALT

Umriß   1

  I. Die Landschaft   5

  II. Die Liebe   23

  III. Die soziale Sphäre   52

Literaturnachweise   78

Anmerkungen   84

Namensregister   87

VORWORT

Die Idee, Stifters Utopie zu beziehen auf die Verfassung der österreichischen Gesellschaft seiner Zeit, gegen die sie gerichtet ist, verlangte eine interpretatorische Methode, die, vergleichbar photographischen Verfahren, das utopische Negativ umkehren sollte ins Positiv der vorauszusetzenden Wirklichkeit. Unter den Erhebungen und Niederungen der Utopie war der in ihr verborgene gesellschaftliche Gehalt zu ertasten, um so das schattenhafte Negativ des utopischen Bildes zu fixieren und zu erhellen. Die Gefahr dieser Methode war, die Dichtung zu rasch in die Realität umzukehren und sie, statt ihre Wahrheit zu erkennen, nur als Ideologie zu entlarven. Daher war die gesellschaftliche Realität nicht als ein soziologischer Maßstab anzusehen, an dem über richtiges oder falsches Abbild entschieden wurde, sondern eher als die Folie der Utopie, die ihr Konturschärfe gab und ihr Eigenes im Kontrast sichtbar werden ließ. Ohne sagen zu wollen, es sei gelungen, wollte die Interpretation ästhetische und soziologische Argumentation miteinander verweben, wollte zweistimmig durchgeführt werden und doch die beiden Stimmen wie in einem Vocoder zu einer einzigen modulieren.

Mit dieser Absicht unterscheidet sich der Versuch einer Interpretation vom Bezirk philologischer Studien und dem Kanon ihrer üblichen Methoden. Statt anzuknüpfen war die eigene Methode erst im Verlauf der Interpretation zu finden. Da weder eine ausgeführte Theorie der Gesellschaft noch eine der Kunst und gar des Zusammenhangs beider existiert, ergab sich stellenweise ein gewisser Schematismus, in dem die Vermittlung zwischen ästhetischer und soziologischer Sphäre kurzgeschlossen wurde. Die andere Idee der Utopie schien sich dann eher in ihren zu dechiffrierenden gesellschaftlichen Implikaten aufzulösen, als aus diesen hervorzugehen.

Doch sei der Versuch, nachdem er mehrfach überarbeitet wurde, in seiner torsohaften Gestalt publiziert, schon um gegenüber den zahlreichen Studien der Stifter-Philologie einer kritischen Methode der Interpretation des Stifterschen Werks das Wort zu reden. Denn in verblendeter Liebe hat diese Philologie oft genug seine Utopie, statt sie als solche in ihrer Differenz zur Realität zu begreifen, für bare Münze genommen und Stiftern als Apostel seines sanften Gesetzes angehimmelt.

Was die Interpretation der Philosophie Theodor W. Adornos verdankt, wird dem offenkundig sein, der mit ihr vertraut ist. Ohne sie und ohne seine Hilfe wäre dies Buch nicht.

Juli 1965   *H. A. G.*

Dies septimus nos ipsi erimus.
Augustinus: De civitate Dei. XXII.

UMRISS

Frühe, hastige Industrialisierung und der sich ausdehnende Markt-
gesellschaftlicher Aufstieg der Bourgeoisie mit der ökonomisch und politisch entscheidenden Verfügungsgewalt über die großen Kapitalien-
gleichzeitiger Abstieg des ökonomisch unterlegenen, handwerktreiben-
den und lokal austauschenden Kleinbürgertums, Schwächung des grund-
besitzenden Adels, Entstehen städtischen Proletariats – dieser beschleu-
nigte, anwachsende Produktionsprozeß mit seinen gesellschaftlichen
Umschichtungen ließ den Traum einer besseren, einer ruhigeren Vergangenheit auftauchen, mochte sie auch beschränkte gewesen sein.
Rückwärtsgewandte Utopie, wie so viele Utopien des frühen 19. Jahrhunderts, ist Stifters »Nachsommer«. Auskonstruiert ist ein vorindu-
strieller Zustand. Grundlage dieses sind Agrarwirtschaft, Manufaktur
und seltsam dunkel bleibender Handel. Aber was da als vergangener Zustand wiederhergestellt werden soll, war nie so gewesen. Feudalistische
Agrargesellschaft des vormärzlichen Österreichs, an welcher die Utopie
orientiert ist, erscheint als verbürgerlichte; Grundherrschaft ist aufgehoben. Die Einwohner des utopischen Landes genießen die formalen
bürgerlichen Freiheiten, die später erst, nach 1848, allen zugesprochen
wurden. So dauert auch Herrschaft in ihm fort, aber die des bürgerlichen
Eigentums. Eigentümer, das sind Besitzer von Gutshöfen, Rentner und
Unternehmer, sie ziehen ihren Reichtum aus vielen Eigentumslosen, die
für die Arbeit angestellt sind. Allerdings auch hier Abänderung: Reiche
sind bei erlesener Lebensart doch nur mäßig Genießende, sind mild,
wenn auch genau, stiften viel Gutes und lassen die Armen erträglich
leben. Analog zur sozialen Stufenleiter entfaltet sich insgeheim ein ge-
stuftes Menschentum. Jeder ist mit dem Teil, der auf ihn kommt, zu-

1

frieden. Um es zu sein, entspricht eines jeden Stand seiner Natur. Also: Suum cuique nicht Omnia sint communia. So malt Stifter eher einen platonischen Kastenstaat als ein klassenloses sozialistisches Glücksland, Platos »Politeia«, weniger eine „Phalanstère" à la Fourier oder Owensche Zukunftsgemeinde „New Harmony."* „Ich habe ein tieferes und reicheres Leben, als es gewöhnlich vorkömmt, in dem Werke zeichnen wollen und zwar in seiner Vollendung und zum Überblicke entfaltet daliegend in Risach und Mathilden, zum Teile auch und zwar in einseitigeren Richtungen im Kaufmanne und seiner Frau, selbst etwas auch in Eustach [der Kunstschreiner Risachs] und sogar dem Gärtner: in seiner Entwicklung begriffen und an jenem vollendeten Leben reifend in dem jungen Naturforscher, an Natalie, Roland, Klotilde, Gustav. Dieses tiefere Leben soll getragen sein durch die irdischen Grundlagen bürgerlicher Geschäfte, der Landwirtschaft, des Gemeinnutzens und der Wissenschaft und dann der überirdischen, der Kunst, der Sitte und eines Blickes, der von reiner Menschlichkeit geleitet, oder wenn Sie wollen, von Religion geführt höher geht als bloß nach eigentlichen Geschäften (welche ihm allerdings Mittel sind), Staatsumwälzungen und anderen Kräften, welche das mechanische Leben treiben."**

So will die restaurative Utopie, begonnen nach 1848 und veröffentlicht 1857, das richtige Leben in den alten, zufällig reformierten Verhältnissen verwirklichen und weiß nicht wie. Sie will den Kapitalismus, aber nicht den der Klassengegensätze, den versöhnten, nicht seine Konsequenzen. Die Kapitalismus-Utopie ohne Kapitalismus ist daher weniger als ein Plan der bestmöglichen Welt, wie ihn zeitgenössische englische und französische Sozialutopien enthielten, da sie in sich widersprüchlich ist. Politisch ist sie nicht ein Appell der Philanthropie an die bürgerlichen Herzen und Geldsäcke, mit sich ein Ende zu machen, als vielmehr nicht so zu sein.

Das konservative Moment dieser Rentnerutopie wird sinnfällig an den antikapitalistischen Utopien des frühen 19. Jahrhunderts. Owen, Fourier, Cabet und auch Fichte haben solche entworfen.[1] Dort sind alle gleich, und jeder lebt so angenehm wie möglich. Das ist, weil in ihnen Eigentum abgeschafft wurde, soweit durch es aus der Arbeitskraft anderer

---

* Zu Sozialutopien insgesamt, wie auch zu denen Platos, Charles Fouriers und Robert Owens vgl. Ernst Bloch: Freiheit und Ordnung, S. 28–52, 108–115.

** Brief an den Verleger Heckenast vom 11. Febr. 1858 als der »Nachsommer« gerade veröffentlicht worden war.

Gewinst gezogen werden kann. Unter ihnen sind die föderativen Utopien Owens und Fouriers Stifters »Nachsommer« am ehesten verwandt. Sie kommen wie dieser ohne Industrie aus, sind bewußt vorindustriell, ruhen auf agrarisch-handwerklicher Grundlage. Einzelne, miteinander assoziierte Genossenschaften, keine aus mehr als zweitausend Personen bestehend, sind sie nach dem Prinzip organisiert, das Fichte in seinem staatssozialistischen Entwurf angab. Sonst ist wenig Organisation in ihnen, aber viel Freiheit; Fourier hält zwei Stunden Arbeitszeit für ausreichend. „Jeder will so angenehm leben, als möglich: und da jeder dies als Mensch fordert, und keiner mehr oder weniger Mensch ist, als der andere, so haben in dieser Forderung alle gleich Recht. Nach dieser Gleichheit ihres Rechts muß die Teilung gemacht werden, so, daß alle und jeder so angenehm leben können, als es möglich ist, wenn so viele Menschen, als ihrer vorhanden sind, in der vorhandenen Wirkungssphäre nebeneinander bestehen sollen; also, daß alle ohngefähr gleich angenehm leben können."[2] Im »Nachsommer« können sie's nicht. Doch scheint ihrer aller Leben in ihm als versöhntes; die Nachsommer-Welt, wenn sie sich auch konservativ absetzt gegen jene Pläne bestmöglicher Welten, sie scheint als richtige. Nicht soll gesagt werden, daß schlechte Sozialutopie als Roman auftretend gute würde. Statt dessen: in der ästhetischen Konstruktion werden die Elemente der Utopie in ein anderes Verhältnis zueinander gesetzt, ja verändern sich selber. Die Art der Veränderung wird in der vorliegenden Studie im einzelnen begründet aus dem, was die Sachgehalte historisch waren, und was an ihnen umgeformt werden mußte, um sie zu solchen schönen Scheines werden zu lassen. Diese Veränderung sowohl wie die Auswahl und der Bedeutungsgehalt der Sachgehalte, welche den Roman konstituieren, sind ihrerseits herzuleiten aus Tendenzen innerhalb der österreichischen Gesellschaft der Restaurationsepoche nach 1848. Spezifisch handelt es sich um das österreichische Kleinbürgertum, dem Stifter nach Herkunft und Stellung zugehörte.

Die Interpretation der im Roman dargestellten Sozialverhältnisse rekurriert daher auf die Agrarverhältnisse Österreichs im Vormärz, in dessen Epoche der Roman rückwärtsschauend angesiedelt ist. Ihr gilt der dritte Teil der Studie. Im ersten Teil wird das Bild der Nachsommer-Landschaft nach Lukács' Gedanken in der »Theorie des Romans« in seinen Details interpretiert als Objektivation bürgerlicher Innerlichkeit. Die Stilisierung von Natur und Agrargesellschaft zum Bild der Nachsommer-Landschaft ermöglicht die zeitliche und räumliche Ferne von agrarischer Gesellschaft zu städtischer, d. i. wesentlich bürgerlicher, durch welche jene zur Form des dort Entbehrten werden kann. Die Konventionalität und Blässe der Liebe ist als Index der gesellschaftlichen Impotenz des Bürgertums und seiner damit als Entsagungsphänomen in Zusammenhang stehenden Prüderie interpretiert. Diese Impotenz, die eins ist mit der Macht der gesellschaftlichen Verhältnisse, an die Sexualität entäußert ist, erzwingt zugleich von dem utopischen Bild der Liebe den Mangel ihrer sinnlichen Konkretion. Der Zusammenhang ist des näheren im zweiten Teil der Studie entfaltet.

Die Studie ist aus kritischem Interesse entstanden. Es geht in ihr nicht um philologische Deskription und Systematisation der Sachgehalte des Romans oder ihr rechnerisches Einordnen in literarhistorische Bezüge. Dies erscheint in Anbetracht der großen Zahl der bereits vorliegenden philologischen Nachweise überflüssig. Soweit auf sie nicht im Text eingegangen wurde, finden sich die wichtigsten im bibliographischen Anhang verzeichnet. Die Absicht war vielmehr in dem Sinne eine philosophische, in dem Hegel die Methode wissenschaftlicher Erkenntnis formulierte: „Aber die Philosophie soll keine Erzählung dessen sein, was geschieht, sondern eine Erkenntnis dessen, was wahr darin ist, und aus dem Wahren soll sie ferner das begreifen, was in der Erzählung als ein bloßes Geschehen erscheint."[3]

I. DIE LANDSCHAFT

„Die Felder waren abgeerntet und umgepflügt, sie lagen kahl den Hügeln und Hängen entlang, nur die grünen Tafeln der Wintersaaten leuchteten hervor. ... Die Wäldchen, die die unzähligen Hügel krönten, glänzten noch in dieser späten Zeit des Jahres entweder goldgelb in dem unverlorenen Schmuck des Laubes oder rötlich oder es zogen sich bunte Streifen durch das dunkle bergan klimmende Grün der Föhren empor. Und über allem dem war doch ein blauer sanfter Hauch, der es milderte, und ihm einen lieben Reiz gab. ... Aus diesem Dufte heraus leuchteten hie und da entfernte Kirchtürme oder schimmerten einzelne weiße Punkte von Häusern."[4] Die Schönheit der Stifterschen Landschaft ist die ihrer Ferne. Sie verbleibt ihren Dingen auch als nahen. Sie sind wie die Stiftersche Dingwelt insgesamt eingehüllt in den Hauch der Stille, der demjenigen gleicht, den erst die Weite der daliegenden Landschaft dem fernen Beschauer zeigt. Die Landschaft fügt sich jeweils der Gliederung des Panoramas, in welcher ihr Einzelnes als im gewissen Zusammenhang aufbewahrt gilt. Dessen geheimer Ordnung folgt die Beschreibung der Landschaft. Dinge der beengten bürgerlichen Welt, die dort bedrückend sich geltend machten, gliedern sich still in die Weite eines offenen Landes ein. Ist der Zwang, der den arbeitenden Bürger an sie fesselte, gewichen, sinkt ihr altes Widriges ein in ein beruhigtes Beieinander, zu welchem Berg, Wald und Ebene komponiert sind. Getilgt ist das Häßliche der nahen Gegenstände; im Grau der Ferne gehen sie sanft ineinander über. In der frühen Erzählung »Hochwald« nennt Stifter noch der Landschaft Wesen beim Namen, das in den späteren Werken wie dem »Nachsommer« nur ihre gegenständliche Erscheinung ausdrückt. „In allem ist hier Sinn und Empfindung; der Stein selber legt sich um sein Schwesterlein, und hält ihn fest."[5] Vergessen ist in der Landschaft, was das geschichtliche Dasein der Menschen war. Dingliche Rudimente von diesem wie Häuser gliedern sich den Gegenständen der Natur an. Als Merkmale der Erinnerung, die doch nicht zurückgeht, sondern erinnerungslos an ihnen haftet, bleiben sie der Landschaft. Wo selbst diese Merkmale geschwunden sind, verflüchtigt sich erinnerte bürgerliche Welt zum verschatteten Raum hinter den Gegenständen der Landschaft, die sie aus sich herausgegliedert hat. „Ich sah in die Gegend, wo gleichsam wie in einen staubigen Nebel getaucht die Stadt sein mußte, in der alle lebten, die mir teuer waren, Vater, Mutter und Schwester."[6] In der Ferne zieht sich die Welt zusammen auf die Form ihres bloßen Daseins, unter der die Gegenstände gleich werden. In der Landschaft scheint die Welt vor Glück stillzustehn. Sie entrückt zur Phantasmagorie. „Das Tiefland war von den Morgennebeln befreit, es lag samt dem Hochgebirge, das es gegen Süden begrenzte, überall sichtbar da, und säumte weithinstreichend das abgeschlossene Hügelgelände, auf dem wir fuhren, wie eine entfernte duftige schweigende Fabel."[7] Jener Augenblick, in dem die Welt stillsteht, zur Dauer des Epos perpetuiert, läßt die Ruhe der Landschaft an die Starre mahnen, an die Ruhe des Todes. Wenn Bewegung das Leben der Welt war, stockt die stillstehende epische Landschaft zur Totenmaske der Welt ein. Als solche ist sie später im „Schatten des Körpers des Kutschers" von Peter Weiß erkannt. Dies, was bei Weiß nun bewußt fixiert ist, ahnt einmal eine Stelle: „Alles schwieg unter mir, als wäre die Welt ausgestorben, als wäre das, daß sich Alles von Leben rege und rühre, ein Traum gewesen."[8]

Die Weite und Stille der Landschaft ist die Freiheit, die das offene Land allzeit dem stadtflüchtigen Bürger versprach, wenn er ihm, den Wanderstock statt des Federhalters in der Hand, in den bemessenen Mußestunden entgegeneilte. Die Landschaft verwandelt sich ihm zur eigentlichen gegenüber der bürgerlichen Welt. Sie wird zur beherrschbaren, richtigen Natur. Als Natur gilt sie als Grundlage bürgerlicher Welt, die aus ihr ausgeschieden ist. Der Schmerz, den diese dem Bürger zufügte, schlug dem Naturbegeisterten in der Geschichte um in den repressiven Fanatismus, der Menschen wieder brav machen will, indem er sie anzupassen fordert an jene vermeintliche Natur, die Bedingung ihres Daseins sei. Aber Natur waren dort nur die schlechten Einrichtungen der Gesellschaft, die Menschen böse gemacht haben. Sie hatten sich schon während der Unruhen 1848 gegenüber sozialrevolutionären Tendenzen als auf lange Sicht konsolidiert gezeigt. Als versteinerte Relikte bürgerlicher Gesellschaft haben sich deren Ökonomie und Herrschaftsformen der Natur einer zusammengezogenen eigentlichen Welt beigesellt. Realität der Gesellschaft, die darin ihre Bedingung hat, ist reduziert auf Epiphänomene. Die von der Landschaft symbolisierte naturwüchsige Welt war real Aberglaube. Als solcher spiegelt sie sich in den politischen Ansichten Stifters. Die schlechte Realität bürgerlicher Gesellschaft im 19. Jahrhundert gerät seinem politischen Denken in die zufällige Entfremdung von einer Naturwelt, die ihr Symbol an der Landschaft hat, aber real nur ein verklärter Fetisch ist. In dieser eingebildeten Naturwelt ruhen eingeschlossen die Bedingungen der realen Welt als verzauberte. Erinnerung hat sich ihrer alten Gestalt entledigt. Dem ideologisch entrückten Bewußtsein eines revolutionsgeschreckten Bürgers stellt die fetischisierte Naturwelt sich als Schönheit des Bestehenden dar, mit dem die abgefallenen Menschen wieder zu vereinigen wären. Seltsam genug heißt es daher in einem Brief aus dem Revolutionsjahr 1848: „Wenn einmal die Welt im Grimme aufstehen wird, um all dies Bubenhafte, das in unseren äußeren Zuständen ist, zu zertrümmern, dann wird die geschändete Schönheitsgöttin auch wieder mit ihrem reinen Antlitze unter uns wandeln, ja statt den bisherigen bloß lieblichen Mienen wird sie das höhere, würdigere und siegesreichere Angesicht der wahren Göttin tragen."[9] Dennoch ist es gerade die Härte der verfestigten bürgerlichen Gesellschaft, ob derer im bürgerlichen Roman die Utopie des richtigen Lebens im Zusammenhang der Landschaft steht. Als Sphäre jenseits bürgerlichen Daseins, als dessen Ausdruck die Stadt gilt, wird Natur dem bürgerlichen Subjekt zum Gegenstand, in den unerfüllte Sehnsucht ihr Wunschbild projiziert. Wie die Personen agrarischer Gesellschaft in der Distanz dem suchenden Blick zusammentreten mit ihren Zuständen, so verwandeln sich unter der gleichen Arbeit der Sehnsucht die Gegenstände der Natur zu schönen. Während die Gebilde bürgerlicher Gesellschaft starr und heteronom verharren, unauflösbar der in ihr leidenden Innerlichkeit, anverwandelt sich diese die Gegenstände der Natur, um in ihnen die versagte Erfüllung zu finden. So ist die Landschaft Objektivation bürgerlicher Innerlichkeit, wenn sie auch der geltenden Erscheinung nach den Personen des Romans sich als Anderes entgegenstellt. Die zur Landschaft umgeformte chaotische Natur entrückt aber zu einer fernen, die von keiner Empirie eingeholt werden kann. Einzig im Zusammenhang mit dem Geschehen des Romans figuriert Landschaft noch als nahe. Diese Einmaligkeit der Nähe im ästhetischen Schein ist ihre Aura*. Die Schönheit aber, die sich konstituiert gleicherweise in der Ferne wie der einmaligen Nähe der Landschaft und die Objektivation erlöster Innerlichkeit ist, drückt damit auch Objektivation der realen Entfremdung zwischen Innerlichkeit und bürgerlicher Gesellschaft aus. Landschaft wird dem ästhetischen Subjekt zum selbsterzeugten homogenen Substrat, da dem geschichtlichen Subjekt die eigene Gesellschaft sich gebietend als fremde entgegengesetzt hat. Lukács hat diesen Sachverhalt als erster in einem ausgeführten spekulativen Gedanken formuliert: „Die Fremdheit der (zweiten) Natur (der Gesellschaft), der ersten Natur gegenüber, das moderne sentimentalische Naturgefühl ist nur die Projektion des Erlebnisses, daß die selbstgeschaffene Umwelt für den Menschen kein Vaterhaus mehr ist, sondern ein Kerker. Solang die von den Menschen für den Menschen gebauten Gebilde ihm wahrhaft angemessen sind, sind sie seine notwendige und eingeborne Heimat; keine Sehnsucht kann in ihm entstehen, die sich, als Gegenstand des Suchens und Findens, die Natur setzt und erlebt. Die erste Natur, die Natur als Gesetzmäßigkeit für das reine Erkennen und die Natur als das Trostbringende für das reine Gefühl, ist nichts als die geschichtsphilosophische Objektivation der Entfremdung zwischen dem Menschen und seinen Gebilden."[10]

Gleichwohl wird in der Tradition der Stifter-Forschung die Landschaft der mittleren und späteren Werke weithin als real geltende geführt. Von den einschlägigen Arbeiten seien hier nur diejenigen von Marianne Ludwig und Frank Matzke angegeben.[11] Als eines der wichtigsten Indizien dient diesen und anderen Arbeiten die Feststellung, daß die Stiftersche Landschaft geographisch lokalisierbare Züge trägt. Mühselige, doch für das ästhetische Wesen der Stifterschen Landschaft irrelevante Nachforschungen haben zumal Enzinger und Neunlinger angestellt.[12] Es ist ihnen für die meisten der Schauplätze geglückt, mehr oder minder genaue geographische Entsprechungen aufzufinden. Doch der Eifer, das Kunstwerk auf solche Weise zu konkretisieren, bleibt banausisch, da in ihm nicht auf die Veränderung reflektiert ist, welche die Naturgegen-

---

* Zur Theorie der Aura und ihres historischen Verfalls vgl. Benjamin: Das Kunstwerk im Zeitalter seiner technischen Reproduzierbarkeit. In: Schriften I, S. 366. Zu der dort notierten Theorie stehen die Ausführungen oben in einem gewissen Gegensatz, wenn sie dieser Theorie auch verpflichtet sind. Auf die Darlegung und Begründung des Gegensatzes muß im Rahmen dieser Arbeit verzichtet werden.

stände im Bereich ästhetischen Scheines erfahren. Diese Veränderung bestimmt den Realitätsgehalt der Landschaft. Es erweist sich nämlich gerade in den Detailuntersuchungen der Stifterschen Landschaft, daß sie im Gegensatz zur Präsumtion des Realismus im Einzelnen gar nicht so realistisch notiert ist, wie dies etwa im Sinne naturwissenschaftlicher Deskription läge. Notiert sind vom Roman einzig partiale Aspekte der Totalität der Natur. Diese Aspekte treffen jeweils nur bestimmte Gegenstände und an ihnen wieder nur bestimmte Seiten. Das Gesetz der Auswahl, wie sie vom Aspekt vorgenommen wird, ist von entscheidender Bedeutung für den Realitätsgehalt der in die Darstellung einbezogenen Gegenstände. Nicht stehen die abgebildeten Teile für das Ganze der Natur, zu dem sie sich dem eigenen Begriffe nach ergänzten. Insgesamt hebt sich die Logik des pars pro toto auf. Im autonomen Bereich ästhetischen Scheines gehen die vom partialen Aspekt reproduzierten Naturteile einen neuen Zusammenhang ein, der verschieden ist von ihrem alten in der Totalität des empirischen Naturganzen. In diesem Zusammenhang des Scheins setzen die Teile sich um zu einer anderen, eigenen Totalität. So hat Natur sich in der Landschaft des Romans zur fiktiven transsubstantiiert. Demgegenüber greift die Rettung Marianne Ludwigs zu kurz, wenn sie der Landschaft Stifters den Realismus bewahren will, indem sie diesen schlicht mit der Kategorie der Gegenständlichkeit identifiziert. Zwar baut sich die Landschaft aus aneinandergereihten Dingen auf, doch bestimmt deren Wesen nicht ihr abstraktes Sein, sondern ihre konkrete Erscheinung. Daher entscheidet über den Realismus das Prinzip der Auswahl der Dinge und die Weise ihrer Abbildung, nicht aber ihre bloße Anwesenheit.

Einen fragwürdigen Anhalt suchte die Forschung im Leben des Autors, um den Gehalt der Landschaft im Werk zu ermitteln. Stifters ländliche Herkunft aus dem Böhmerwald, seine Jugend in Kremsmünster werden mit einiger Willkür zu Indizien von des Autors Naturerfahrung erhoben, die – selber ungeklärt – ihrerseits bürgen soll für den Realismus der Landschaftsschilderung. Doch liegen zwischen diesen frühen Lebensjahren und der Zeit, da der »Nachsommer« entstand, die Jahrzehnte des Lebens in Wien und Linz. Eher wäre aus diesem Umstand die Stiftersche Landschaft als eine der Erinnerung an ehemalige, vergangene Erfahrung anzusprechen, denn daß sie mit unmittelbarer Erfahrung zu tun hätte. Es wäre dies eine Erinnerung, die ihren Gegenstand verändert hätte in der Dauer, während der er allein in der Sphäre der Imagination aufgehoben war. Getrennt vom Substrat der Erfahrung ist der Gegenstand, in der Erinnerung isoliert, dem Mechanismus des Vergessens und der psychologischen Projektion unterworfen, mit dem Erinnerung wohl stets zusammengeht. Dieser formt ihn zu einem schönen um. In der Projektion, die dem Subjekt sein schön Erinnertes gegenüberstellt, findet das Subjekt das, was es real entbehrt, wenn es auch in diesem nur sich wiedergefunden hat und an sich selber den Gegenstand seiner Beruhigung hat. So schafft Erinnerung das Alibi eines Lebens, das sich nicht als verfehltes erkennen will.

Die Schönheit der Landschaft, die sich erhebt, wo die Landschaft vor dem Blick in die Ferne zurücksinkt, ist eine der Immergleichheit. Die Landschaft bleibt unwandelbar, auch wo sie dem Roman eine verschiedene ist. ,,Oft, wenn ich durch wildes Gestrippe plötzlich auf einen freien Abriß kam, und mir die Abendröte entgegen schlug, weithin das Land in Duft und roten Rauch legend, so setzte ich mich nieder, ließ das Feuerwerk vor mir verglimmen, und es kamen allerlei Gefühle in mein Herz.''[13] An anderer Stelle: ,,Ich stand auf dem Felsen, der das Eis und den Schnee überragte, an dessen Fuß sich der Firnschrund befand, den man hatte überspringen müssen, oder zu dessen Überwindung wir nicht selten Leitern verfertigten, und über das Eis trugen, ich stand auf der zuweilen ganz kleinen Fläche des letzten Steines, oberhalb dessen keiner mehr war, und sah auf das Gewimmel der Berge um mich ...''[14] Das ,,oft'' der ersten Stelle, das ,,oder'' und ,,zuweilen'' der zweiten – Partikel, die den wechselnden Ort des Beschauers andeuten, verweisen auf die jeweils gleiche Landschaft. Immer gleichbleibend ist sie nicht die jeweils gesehene, sondern eine fiktive. Sie hält sich in den wechselnden Konstellationen, in die das Subjekt zu ihr tritt, durch und ist darin vertauschbar. Die beliebig zitierbare Immergleichheit der Landschaft ist die übergebliebene Form ihres in der Ferne versunkenen mannigfaltigen Daseins. Die abgezogene allgemeine Form dieses Daseins setzt sich als Friede und geborgene Ordnung der Dinge neues ästhetisches Wesen. Dies neu in ihr ausgebildete versöhnte Wesen ist der politische Traum des Stifterschen Konservatismus: die Form des Bestehenden in einen neuen Inhalt zu verwandeln. Der Traum des Konservatismus hat im »Nachsommer« seine andere, ästhetische Erfüllung gefunden. Politisch bedeutete er nur Verklärung der ungerechten gesellschaftlichen Einrichtungen, die keinen anderen Inhalt in sich produzieren konnten, als in ihnen angelegt war.

Die Schönheit der Landschaft, deren Element die Ferne ist, verbleibt doch aber ihrer Nähe. Wie der Beschauer, dessen Blick über die zurückgesunkene Welt der Landschaft gleitet, an manchen ihrer Orte verweilt und sich ihrer vergewissert, so hält der Erzähler des Romans inne und wendet sich einem Ort zu. Langsam hebt ihn seine Beschreibung aus der Landschaft empor, ohne ihn aus der Einheit in ihr abzulösen. Er liegt, während er herauszutreten beginnt, weiter aufgehoben im beruhigten, gegenwärtigen Zusammenhang. So geht Heinrich auf seinen Wanderungen zum ersten Mal der Asperhof auf, dessen Welt ihn später aufnehmen wird. „Als ich ziemlich weit hinaus gekommen war, und mich in einem Teile des Landes befand, wo sanfte Hügel mit mäßigen Flächen wechseln, Meierhöfe zerstreut sind, der Obstbau gleichsam in Wäldern sich durch das Land zieht, zwischen dem dunkeln Laube die Kirchtürme schimmern, in den Talfurchen die Bäche rauschen, und überall wegen der größeren Weitung, die das Land gibt, das blaue gezackte Band der Hochgebirge zu erblicken ist, mußte ich auf eine Einkehr denken; ... Vor mir hatte ich das Dorf Rohrberg, dessen Kirchturm von der Sonne scharf beschienen über Kirschen- und Weidenbäumen hervor sah. Es lag nur ganz wenig abseits von der Straße. Näher waren zwei Meierhöfe, deren jeder in einer mäßigen Entfernung von der Straße in Wiesen und Feldern prangte. Auch war ein Haus auf einem Hügel, das weder ein Bauernhaus noch irgendein Wirtschaftsgebäude eines Bürgers zu sein schien, sondern eher dem Landhause eines Bürgers glich. ... Es war, da schon ein großer Teil des Landes mit Ausnahme des Rohrberger Kirchturmes im Schatten lag, noch hell beleuchtet, und sah mit einladendem schimmerndem Weiß in das Grau und Blau der Landschaft hinaus."[15] Das Haus ist der Asperhof. Was sich in ihm, wie in der nachsommerlichen Welt insgesamt, an der Fülle ausgebreiteter Gegenstände enthüllt, entfaltet in der Nähe das, was die Landschaft des Panoramas verheißen hatte.

Die Ferne der nahen Gegenstände ist ihr erloschenes Einzelnes. Die räumliche Kontur, in der sie scheinen, grenzt sie ein auf den Raum allein, den sie einnehmen. In ihr weilen sie bei sich, während sie in ruhiges Beisammensein zu den umgebenden anderen gesetzt sind. Indem sie in ihrer Bewegung verhalten, bildet sich eine Landschaft der Bewegungslosigkeit an ihnen aus. Landschaftliche Gegenstände sind es, in denen sich vorherrschend die nahe Natur des Romans konstituiert: pflanzliche und anorganische Materialien. Tiere leben in diesem Reich der stummen

Gegenstände als vorübergleitende Schemen. Sie besetzen als bewegtes ornamentales Muster das Reich der Gegenstände." ... das stumme Laufen der Vögel über den reinen Sand war vor unseren Augen, und ihr gelegentlicher Aufflug in die Bäume tönte leicht in unsere Ohren."[16] Wo sie unsichtbar sind, wird durch sie, wie im Gesang der verborgenen Vögel, die Stille selber Laut. Das Wasser stehender Gebirgsseen verwandelt sich in den starren Aggregatzustand der Felsen, die sich in ihm spiegeln.

So wie animalisches Leben aus der Natur weithin verschwunden ist, ist sie auch eigentümlich menschenleer. Als Zustand hat sich die Natur in der Landschaft verräumlicht. Dieser ihrer Stillstellung im Raum weicht bewegtes Leben. Verändernde Bewegung erfährt die Landschaft nur im langsamen Wandel der Jahreszeiten und den transitorischen Einwirkungen des Wetters. Doch erscheinen derlei Veränderungen nicht als Zerstörungen. Jahreszeitliche Veränderungen der Landschaft sind als der Gegenstände eigener Wandel dargestellt, nicht als ihr Entstehen oder Untergang. Einwirkungen des Wetters werden an den Gegenständen in der Weise ihrer Bewegtheit sichtbar. Nichts vermag das Wetter den Gegenständen selber anzuhaben. „Es war wieder Getreide, das ich vor mir auf dem sachte hinabgehenden Hügel erblickte. Am Morgen dieses Tages, da ich von meiner Nachtherberge aufgebrochen war, hatte ich auch Getreide rings um mich gesehen; aber dasselbe war in einem lustigen Wogen begriffen gewesen; während dieses reglos und unbewegt war wie ein Heer von lockeren Lanzen."[17] „Die Getreide, welche nicht weit von mir hinter der Planke des Gartens standen, und die gestern ganz ruhig gewesen waren, befanden sich heute in einem zwar schwachen aber fröhlichen Wogen. Ich mußte denken, daß das Wetter nicht nur jetzt so schön sei, sondern daß es noch lange so schön bleiben werde."[18] „Die Zweige der Bäume waren von ihrem Reife befreit, der Schnee, der in kleinen Kügelchen daherjagte, konnte auf ihnen nicht haften, und sie standen desto dunkler und beinahe schwarz von dem umgebenden Schnee ab. Sie beugten sich im Winde, und sausten dort, wo sie in mächtigen Abteilungen einem großen Baume angehörten, und in ihrer Dichtheit gleichsam eine Menge darstellten."[19]

Getilgt ist aus der Stifterschen Landschaft chaotische Natur, ausgesetzt der Kampf um die Erhaltung des Lebens wie dessen Zerstörung. Sie steht nicht unter Darwins Naturgesetz des „survival of the fittest". Das Prinzip ihrer Stilisierung ist dasjenige der Hortikultur. Die aufgeräumte Landschaft ist in Wahrheit ein Garten. Der tote Hirsch am Ufer eines Gebirgssees macht noch keine Natur in der Landschaft. Er ist zudem erschossen worden.[20] Fremd kontrastiert dieses Opfer der Gewalt die ruhige und behutsame Atmosphäre des Landschaftsbildes. Opfer ist der Hirsch nicht im Zusammenhang des Naturgeschehens, sondern durch das Eindringen von Menschen in diesen.

Die Landschaft trägt nicht nur Züge des Gartens, Gärten sind auch ihr Zentrum. Es sind dies vorzüglich die des Asper- und des Sternenhofes. Diese weiten sich beim allmählichen Durchschreiten zur Landschaft aus. Wie die ihnen zugehörenden Höfe sind sie Ausgangsstellen für die in der Landschaft Wandernden und Reisenden. In der späten und letzten Fassung der »Mappe meines Urgroßvaters«, die unvollendet geblieben ist, gehen endlich Garten und Natur ineinander über in der Phantasmagorie einer großen Kulturlandschaft. Sie faßt Landwirtschaft, Park und Wildnis in Eines zusammen. In den breit ausgeführten Gärten des »Nachsommer« aber offenbart sich das tyrannische Wesen der Stilisierung, das die Landschaft noch als Geheimnis hütet. Eine gemodelte Natur entfaltet sich an Spalieren, hinter Hecken und Gittern und unter Glashäusern. Geputzte Bäume, gefällig gepflanzte Sträucher, sauber gehegte Beete und gerechte Wege zeigen das Bild einer entzauberten Landschaft. Unterworfen sowohl dem Willen des ästhetischen Subjekts wie des Gartengestalters, sind die Naturgegenstände nur das an sich, was sie zugleich für den herrschenden Willen sind. Wenn die Gegenstände der Landschaft bei der Beschreibung mit ihrem Namen konvergieren, so ist ihre Bedeutung im Garten aufgehoben in dem Schildchen, das bei ihnen angebracht ist und auf dem ihre Daten verzeichnet sind. Biedere Wiederholung des Gartenmuseums aus Goethes „Wahlverwandtschaften". „Die Gemüse nahmen die weiten und größeren Räume ein. Zwischen ihnen und an ihren Seiten liefen Anpflanzungen von Erdbeeren. Sie schienen besonders gehegt, waren häufig aufgebunden, und hatten Blechtäfelchen zwischen sich, auf denen die Namen standen. Die Obstbäume waren durch den ganzen Garten verteilt, wir gingen an vielen vorüber. Auch an ihnen besonders aber an den zahlreichen Zwergbäumen sah ich weiße Täfelchen mit Namen."[21]

Ähnlich den abgeschlossenen Systemen, wie sie in der Chemie zur Beobachtung von außen nicht beeinflußter Experimente hergestellt werden, sind die Gegenstände des Gartens in ein berechnetes Gleichgewicht gebracht, das sich als geordnete Natur geriert. Gewidmet ist

13

dieses gärtnerische Gleichgewicht der Natur landwirtschaftlichem Nutzen und dem Genuß des Betrachters. In ihm haben auch Tiere Platz, soweit es sich um Nutzvieh handelt. Dem allgemeinen Nutzen rechnen auch die Vögel zu, die den Garten bevölkern. Ihr Gesang erfreut nicht allein den Besucher; des längeren wird ihre Funktion als Insektenvertilgungsmittel beschrieben. Zu diesem Zweck werden sie in großen Scharen gehalten.[22] Ausgemerzt wird, was sich dem Gleichgewichtssystem nicht einfügen oder durch kluge Vorkehrung draußen halten läßt. „Als einen bösen Feind zeigte sich der Rotschwanz. Er flog zu dem Bienenhause, und schnappte die Tierchen weg. Da half nichts als ihn ohne Gnade mit der Windbüchse zu töten. Wir ließen beinahe in Ordnung Wache halten, und die Verfolgung fortsetzen, bis dieses Geschlecht ausblieb."[23]

In der Ausrottung des Rotschwanzes ist das Schönheitsgesetz der Stifterschen Landschaft an der widerstrebenden Natur vollstreckt worden. Ihre Schönheit bezahlt sich mit dem Tode des nicht in sie Aufgenommenen. Die Gewalt aber, unter deren Druck aus der Natur die Schönheit der Landschaft herausgepreßt wird, ist gesellschaftlich vermittelt. Auf die Funktion der Landschaft innerhalb der bürgerlichen Gesellschaft wird später noch in anderer Hinsicht einzugehen sein. Hier sei allein vermerkt, daß der Grad ihrer Schönheit korrespondieren dürfte dem von der Gesellschaft jeweils auf das bürgerliche Subjekt ausgeübten Druck. Die Stilisierung, der die Landschaft ihr Entstehen verdankt, ist ein Aggressionsakt. In blinde Aggressivität, die nur ihr Ziel kennt, haben sich die Triebe des bürgerlichen Subjekts deformiert, denen die reale Befriedigung innerhalb gesellschaftlicher Mechanismen versagt ist. Sie besetzen Natur als ein der Gesellschaft Jenseitiges und unterwerfen sie sich in dem Maße, in dem die Macht ihrer Versagung angewachsen ist. Aber der Landschaftsgenuß des naturbegeisterten Bürgers ist Ersatzbefriedigung. Seine die Natur stilisierende Aggression ist von dem abgelenkt, was es einzig zu verändern gälte: der realen Gesellschaft, welche Versagung und Aggression verschuldete. Das bürgerliche Landschaftserlebnis dient objektiv der Verhärtung der widersinnig herrschenden Gesellschaftsverfassung.

Das stille Naturreich gewinnt Weite, indem es sich am vorübergehenden Beschauer entfaltet; während die Weite, in die sich die Gegenstände hinausziehen, eingeht in den endlichen Zusammenhang der Landschaft. Die räumliche Kontur, die nur abstrakte Form der Gegenständlichkeit

14

ist, hat die Gegenstände als verdinglichte Räume eingegrenzt auf sich selber und damit allen anderen gleich werden lassen. Was an der Kontur angeschaut werden kann als die sinnliche Gegenwart des Gegenstandes, ist nicht der einzelne Gegenstand. Nicht konkrete Beschaffenheit tritt hervor, sondern die gemeinsamen Merkmale des Typus. „Weit vor uns hinabgehend und weit zu unserer Rechten und Linken hin, so wie rückwärts war das grüne der Reife entgegen harrende Getreide. Aus dem Saume desselben, der uns am nächsten war, sahen uns der rote Mohn und die blauen Kornblumen an. "[24] Was die jeweilige Beschaffenheit des Einzelnen gewesen war, sein Hartes, Widerstrebendes, das immer auch Spur der auf es durch Anderes ausgeübten Gewalt war, ist aufgelöst in die Einheit des Gleichen. Gleich geworden mit allen anderen und identisch jeweils mit ihrem ganzen Typus, konvergieren die Naturgegenstände, wie auch alle anderen des Romans, die darin jenen sich anverwandeln, in letzter Instanz mit ihren Namen. „Der rote Mohn" und die „lange Eisstelle bloßgelegt in ihrer grünlichen Farbe" bezeichnen den Typus und nicht den einmaligen Gegenstand. Bar der Prädikate selbst des Typus stehen an extremen Stellen des Textes statt der Gegenstände die Namen selber in der Landschaft: Embleme verdinglichten Raumes. „Ich ging zwischen den Feldern hin, auf denen die ungeheure Menge des Getreides steht, ich ging an manchem Strauche hin, den der Rain enthält, ich ging an manchem Baume vorbei, der in dem Getreide steht, und kam zu dem roten Kreuze, das aus den Saaten empor ragt."[25] Die Unterwerfung des Gegenstandes unter den Namen, die das Namen gebende Subjekt will, macht ihn mit denjenigen gleichen Namens gleich. Zudem wird der dem Namen unterworfene Gegenstand gerade dem Subjekt gleich, da der Name nichts weiter als das Subjekt ist, das ihn gibt. Subjekt werden so im Namen die Gegenstände, die im Namen nur Gestalt angenommen haben. In die offene Leere der Namen und der Gegenstände vom Apriori des Typus oder gleichbedeutender Allgemeinheit dringt gestaltende Imagination ein und belebt beide. Sie bildet sie aus zu den Idealen, nach denen das Subjekt sich sehnt, das sie nicht in den Dingen des bitteren bürgerlichen Daseins und der realen Natur haben kann. Ihre Schönheit ist abstrakt, da sie Idealität, nicht Realität ist. Fritz Novotny hat in einer Untersuchung des Zusammenhangs von Sprach- und Malstil bei Stifter auf die Tendenz zur sprachlichen Typisierung hingewiesen, der eine gleiche Tendenz in den späten Bildern entspreche: „Es gehört ja zu den bewundernswertesten und geheimnisvollsten Eigenheiten der Sprachkunst Stifters – eine Eigenheit, die im Spätstil immer ausgebreiteter auftritt – daß eine beinahe aller Wörter und Wortkombinationen von individueller Bildkraft entbehrende Sprachform, eine Sprachform, die fast nur auf den Elementarwirkungen einfachster Wortbildungen von größtmöglichem Allgemeingehalt, besonders in der Verwendung der Hilfsverben und verwandter Zeitwortgattungen, beruht, dabei nicht geringere Veranschaulichungskraft besitzt als eine mit größtem Assoziationsreichtum arbeitende farben- und bilderreiche Sprache, ja sogar infolge der Elementarwirkungen noch größere. Diese den bestimmten individuellen Dingen und Empfindungen ausweichende und an ihre Stelle Allgemeinbegriffe setzende Sprachform behält bei Stifter auch dort noch bedeutenden Ausdrucksgehalt, wo sie sich dem Schematischen annähert."[26]

Haben die Gegenstände der Landschaft ihr Einzelnes aufgegeben und sind in die Kontur eingegangen, die allgemeines Moment ihrer Form war, entrücken sie den Personen, denen sie im Geschehen beigefügt sind. Die Ferne der Abstraktheit wird allerdings überbrückt. Indem auch der geringste der Gegenstände beim Namen gerufen wird, umgeben sie in Fülle die Personen. Name reiht sich an Name, formt sich zur räumlichen Gliederung aus und hält bruchlos noch einmal das Gefüge der Welt. Diesem Gefüge antworten die Personen, deren körperliches Dasein wie das der Dinge auf die Kontur begrenzt ist. „Zwischen dem Getreide lief ein Fußpfad durch. Derselbe war breit und ziemlich ausgetreten. ... Auf diesem Pfade gingen wir dahin."[27] Es ist der Gestus des Gehens. In Gestus und Kontur aber berühren sich Menschen und Dinge nicht mehr körperlich. Sie entrücken beide zu schwebenden. Identisch aber sind sie zugleich, da ihrer beider getilgte Kontingenz ihr widerspruchsvolles Anderssein mitgenommen hat und Mensch und Ding in der Landschaft allein noch formal auseinandertreten. Allgemeine Angabe von Kleidung und Aussehen, die im Verein mit dem Gestus die Kontur der Personen bestimmt, läßt sie zu Figurinen werden, wie sie auch in den Landschaftsgemälden des Autors verharren als allegorische Wesen. „Auf den Klang der Glocke kam ein Mann hinter den Gebüschen des Gartens gegen mich hervor. Als er an der inneren Seite des Gitters vor mir stand, sah ich, daß es ein Mann mit schneeweißen Haaren war, die er nicht bedeckt hatte. Sonst war er unscheinbar, und hatte eine Art Hausjacke an, oder wie man das Ding nennen soll, das ihm überall enge anlag, und fast bis auf die Knie herab reichte."[28] Entsprechend erscheinen in den Landschaftsgemälden Stifters Vorder- und Mittelgrund flach und kahl. In der Nähe ist Ferne in ein figuratives Schema

16

zerfallen. Allein nämlich dem Hintergrund kommt Ferne als sanfte Unbestimmtheit zu. In der Mannigfaltigkeit der Konstellationen, deren unermüdlich beschriebenes Detail innerlich unbestimmt nur Teil des Allgemeinen ist, setzt der Roman sich zur zweiten Welt einer idealischen Utopie. Sie besteht aus Landschaft und Heim. In ihre Versöhnung hat sich geschichtliche Entfremdung aufgelöst. Indem der Roman nur gereinigte Teile der Oberfläche der Welt abbildet, kristallisiert diese Welt zu erstarrter Schönheit. Es ist ihr allegorisches Wesen, das Stifter auch in der antiken und mittelalterlichen Kunst als Verwandtes traf. In der Stilisierung dieser vergangenen Formenwelt erblickte er das Element ihrer versöhnten Schönheit. Die Summe der aufgezählten Dinge fingiert deren Vollständigkeit. Während sie in der Tat Teile sind, die aus dem empirischen Realitätszusammenhang isoliert wurden, reproduzieren sie sich im Bereich ästhetischen Scheines als Totalität. Sie weben einen Schleier, der sich dicht und undurchdringbar über die ausgefallenen Realitätsbereiche legt. Ihre unmittelbare Präsenz, die aus der bildhaften Gegenständlichkeit hervortritt, drückt Anderes, Nicht-Aufgenommenes ins Vergessene hinab. In den Dingen hat sich der Schein verdickt und materialisiert – ist zu einem scheinhaft Konkreten geworden. An sie als den Materialisationspunkten des Scheines heftet sich das Bewußtsein. Sie sind ihm Greifstellen der noch unrealisierten Utopie. Blind ist es fixiert an diese Garanten des Scheines. Deren lückenloser und abgerundeter Zusammenhang besorgt der utopischen Vorstellung anschauliche Gediegenheit. Die blinde Fixierung an die angesammelten Dinge bestimmt das Wesen der Romanpersonen. Sie sind das Integral der von ihnen abgeschrittenen Dinge. Damit heben sie sich aber als konstitutive Subjekte auf. Reine Funktionsbegriffe ihres dinglichen Substrats, richten sich aus ihnen keine Handlungen mehr auf dieses, die es beherrschend veränderten, den Subjekten anverwandelten, die sich in jenem bestimmenden Tun selber formierten. Einesteils sind jene Veränderungen bereits geschehen, und die Welt des Romans ist eingerichtet, anderteils kündet von solchen – wie von landwirtschaftlichen, landeskonservatorischen und naturwissenschaftlichen Projekten des alten Risach und Heinrichs – nur der eingeschobene Bericht oder breite weltanschauliche Reflexion. Nicht aber konstituieren als Handlungen jene Projekte das Romangeschehen. Den Geschehniszusammenhang von Personen und Dingen verändert keine Bewegung. Subjekt und seine Freiheit, die an jener Bewegung ihren Begriff haben, da sie in ihr sich allein verwirklichen können, sind erloschen.

Das Geschehen zerfällt in eine Abfolge von Zuständen, deren innerer Zusammenhang additiver Natur ist.

Jener unwandelbaren Fixierung der Personen an die Dinge gleichen die festliegenden Verhältnisse der Personen zueinander. Die fixen personalen Konstellationen haben dinglichen Charakter. Nichts wandelt sich in ihnen; was sich doch bewegt, zielt auf die zunehmende Verfestigung und affektive Anreicherung der Beziehungen, somit auf die Aufhebung von Bewegung und Wandlung. Jene bewegungslose Ruhe trennt den »Nachsommer« von der lebendigen Bewegtheit des »Wilhelm Meister« wie von einem anderen Äther. In die Nähe dieses Erziehungsromans hat die österreichische Germanistik Stifters Werk zu rücken versucht, um – wie schon Gundolf bemerkt hat – in Stifter ihr Sonder-Pantheon neben dem deutschen Pantheon Goethe zu haben.[29] Trotz etlicher motivlicher und lokaler Ähnlichkeiten beider Romane, deren Materialien Stifter ehrfurchtsvoll eingesammelt haben dürfte und denen manche philologische Untersuchung gilt, handelt es sich bei solchen Konkordanzen um Adiaphora. * Im »Wilhelm Meister« ist das Geschehen durch das handelnde Einwirken eines bestimmten Willens der Personen auf ein aufgegebenes Substrat konstituiert, das der Wille formend sich identisch zu machen trachtet. Subjekt und Objekt bestimmen sich nach dem Modell idealistischer Versöhnung wechselweis. Dagegen fallen die Stifterschen Figurinen in einem handlungsarmen Geschehen subjektslos mit ihrem Substrat zusammen.

Die Fixierung der erzählerischen Blickrichtung auf die Dinge, an denen sie unablöslich haftet, hat eine Veränderung der traditionellen Romankategorie der Handlung im Gefolge. Hatte Handlung im bürgerlich-realistischen Roman ihren kategorialen Gegenstand wesentlich an der Nicht-Identität zwischen Subjekt und Objekt, dem metaphysischen Aus-

---

* In dubioser Terminologie, die ästhetische und historische Geltungsbereiche begriffslos miteinander vermengt, heißt es bei Julius Kühn: ,,Er (Stifter) hat das Menschheitsziel Herders, Goethes, Humboldts auf österreichischen Boden verpflanzt, ihm zu einem stammes- und artgemäßen Ausdruck verholfen. In diesem Sinn darf man den Nachsommer ... den Wilhelm Meister des Donauraumes nennen.'' In: Die Kunst Adalbert Stifters, S. 203. – Anderes folgert Edmund Godde aus einem philologischen Vergleich beider Romane: ,,Demzufolge kann von einer grundlegenden und bedeutungsreichen Beziehung »Nachsommer« – »Wilhelm Meister« nicht die Rede sein. Die angeführten Merkmale bleiben ganz und gar in einem äußerlichen, mehr oder weniger zufälligen Bereich des »Nachsommer«-Romans'', in: »Nachsommer« und der »Heinrich von Ofterdingen«, zit. nach: Vjschr. des Ad. Stifter-Instituts, Linz, Jg 10, 1961, S. 139.

druck von den der bürgerlichen Gesellschaft immanenten Widersprü-
chen, in der das Subjekt noch nicht zu dem Seinen gekommen ist, so ist
im Roman Stifters Handlung auf ein widerstandslos gleitendes Geschehen geschrumpft. Die Abfolge von aus Dingen zusammengesetzten Zuständen kennt keinen Widerspruch und keine Handlung mehr. Auf den
gesellschaftsjenseitigen Ruheraum der Landschaft hat die Lähmung des
gesellschaftlichen Bewußtseins übergegriffen, wie sie allgemein am kleinen und mittleren Bürgertum des Biedermeiers zu beobachten ist, dem
Stifter seinem sozialen Status nach zugehörte. * Adjustiert an verdinglichte, schlechte Einrichtungen der Gesellschaft, soziale und politische
Herrschafts- und Abhängigkeitsverhältnisse der Restaurationsepoche
hatte das Kleinbürgertum die Macht über den losgelassenen ökonomischen Prozeß der progressiven Kapitalakkumulation und der Industrialisierung verloren, den es doch, darein gefesselt, selber mit in Gang hielt.
Je grauenhafter sich die Konsequenzen der expandierenden Profitgesellschaft ausweisen, desto gieriger hielt der verarmte und an die Kandare
gelegte Kleinbürger an tradierten und anderen Gegenständen fest. In
ihnen wollte er festhalten, was ihm objektiv entglitt und über was er
keine Macht hatte: die über ihn verfügende gesellschaftliche Gewalt.
Festhalten schlug schließlich grotesk in fetischistische Sammelwut von
Sachen und Kram um. * Produziert doch durch eben denselben gesellschaftlichen Prozeß, werden sie zur Chimäre des Beständigen und der
Geborgenheit vor ihm. Die blinde Fixierung der transitorischen Elemente des Prozesses aber bewirkt einen reaktionären geschichtlichen
Rückstau. Der festgehaltene Residualraum lädt sich emotional auf. Es
ist eine Stimmung, die sich amalgamiert aus der Ergebung ins Gegenwärtige und objektivem Verzicht auf zukünftiges und damit gegenwärti-
ges Glück wie der kompensatorischen Verklärung beider. Stimmungsvolle
Verklärung des beschränkten Kleinen und Nächsten dürfte bestimmen-
der Zug biedermeierlicher Weltanschauung gewesen sein. Im „sanften

---

* Den Terminus des „Ruheraums" verwendet Hermand, um das eigentümliche
gesellschaftliche Element der Biedermeierdichtung zu charakterisieren. Er bleibt aber
verschwommen, da allzu Heterogenes, wie politische und soziale Restauration und der
ästhetische Gehalt von Dichtungen falsch und unterschiedslos unter ihn subsumiert
werden. So war die restaurative Donaumonarchie wesentlich nur der Ideologie, der
politischen Propaganda, aber nicht den realen Verhältnissen nach ein Ruheraum.
Hermand: Formenwelt des Biedermeiers, S. 6–17.
* Über den Sammeleifer, den Artverwandten des positivistischen Historismus der
gleichen Zeit, vgl. Hermand, S. 11 f.

Gesetz" Stifters gewinnt sie verführerischen Ton. Doch enthebt sich die Dichtung Stifters zugleich allem Ideologischen, wie sie ihm auch verhaftet bleibt und an ihm ihre Genese hat. Als utopischer Entwurf der anderen Welt springt sie über die falsche Verklärung des Bestehenden hinaus, wenngleich die Utopie die Wundmale ihres realen Gegenbildes trägt. So dürfte ihre Wahrheit darin beschlossen sein, daß sie als bewußte Utopie von der Bejahung des Bestehenden so weit entfernt ist, wie ihre hilflose Gestalt von dessen realer Aufhebung.

Die Landschaft stellt sich als objektive dar. Die Sphäre der Psychologie, der Gedanken und Gefühle der Personen bildet sich in der Darstellung nicht aus. Nicht hängt das Bild der Landschaft zusammen mit einer sie erfahrenden Subjektivität. Es herrscht scheinhaft reale Deskription der Landschaft, die sich im verstummten Subjekt identisch reproduziert. Sie verwandelt sich in den ausgebreiteten Inhalt des anders nur noch formal gültigen Subjekts. An ihre Reproduktion im Subjekt schließt sich die Geschichte einzelner Gegenstände, die vom Subjekt noch memoriert wird. Wenn Rede das angeschaut Vorhandene verläßt, so dringt dessen Geschichte in sie ein. Doch der Bericht seiner Geschichte löst den Gegenstand nicht auf in die Vermittlung zu Vorhergehendem, sondern dient seiner Sicherung. Die in ihre Geschichte verlängerten Gegenstände vergrößern ihre Schwerkraft, der sich das ephemere Subjekt hingibt. „Ich gehe oft mit der Mutter an stillen Wintertagen gerade diesen Weg, auf dem wir jetzt wandeln. Er ist wohl und breit ausgefahren, weil die Bewohner von Erlthal und die der umliegenden Häuser im Winter von ihrem tief gelegenen Fahrweg eine kleine Abbeugung über die Felder machen, und dann unseren Spazierweg seiner ganzen Länge nach befahren."[30] Die Geschichte dessen, was ein Ort zu dieser oder jener Zeit war, ist selber wieder ein zu anschaulichen Residuen verfestigtes Bestehendes. So reiht Geschichte sich zu einer Kette von Dingen. Das Schweigen des Gedankens meint Entäußerung an das Gegenwärtige, um in ihm den verlorenen Einklang herzustellen: „Es war unsäglich, wie mir alles gefiel, er gefiel mir bei weitem mehr, als früher, da ich das erste Mal dieses Land mit meinem Gastfreunde genauer besah. Ich tauchte meine ganze Seele in den holden Spätduft, der alles umschleierte, ich senkte sie in die tiefen Einschnitte, an denen wir gelegentlich hin fuhren, und übergab sie mit tiefem innerem Abschlusse der Ruhe und Stille, die um uns waltete."[31] Indem das Subjekt an den jeweils vorgegebenen Gegenstand gebannt ist, löst der Weltzusammenhang sich in eine Abfolge von Teilen auf. Der Weltzusammenhang, konstituiert in der Reflexion seiner Teile im Subjekt, das selber Teil war, und in dem in der Geschichte entfalteten Konnex dieser Teile, kann, zur Reihe vereinfacht, beliebig zerbrochen und fortgesetzt werden. Die Nähe der Teile verfällt dem Zufall. An einem kann der Bericht des Erzählers abbrechen und unvermittelt mit einem neuen einsetzen. Blind beginnt er dann: „Ich ging jetzt in das Lautertal, um es zu besuchen." Oder: „Ich ging auch in das Rothmoor."[32] Durch die Klüfte blickt die Dichtung in das Nichts hinab, das sie doch versucht, mit jedem die Dinge beschwörenden Wort zu überbrücken, um zu sein.

Wenn auch das Subjekt in die Abfolge der landschaftlichen Gegenstände sich entäußert hat, so hat es sich nicht in diese romantisch aufgelöst. Es kennzeichnet insgesamt die objektive Wendung des späten Stifter im Verhältnis zur romantischen subjektiv konstituierten Einheit Jean Pauls, des Vorbildes aus der Jugendzeit, daß er formal das Subjekt in den der Subjektivität eigentümlichen Regungen als unterschiedene Qualität gegen die Objekte festhält. Diese Wendung intendiert, romantischem Wesen, soweit ihm Versöhnung innewohnt, Objektivität zuzueignen, indem dessen Vereinigung von Subjekt und Objekt aufgespalten wird in die Identität verschiedener Qualitäten, ohne doch den Inhalt dieser Vereinigung fahren zu lassen. An diese Objektivität des formalen Unterschiedes von Subjekt und Objekt schließt sich Stifters Ideologie von der möglichen Wirklichkeit der Dichtung an. Sie will die dort erreichte, ästhetisch vermittelte Objektivität als gültige bergen, verkehrt aber nur ihre Aura zum weltanschaulichen Gebrauchswert einer Ersatzwelt. So umreißt die Erzählung nicht nur die körperliche Kontur ihrer Personen, sondern notiert auch Subjektivität begründende Empfindungen, Gedanken und Zwecke dieser Personen. Denn nur durch die Vermittlung der Sphäre der Subjektivität vermag sich zwischen Subjekt und Objekt ein Verhältnis herzustellen, das einen einsichtigen Geschehniszusammenhang des Romans begründet. Würde sich subjektive Regung nicht auf Gegenstände außerhalb von Subjektivität beziehen, erblindete das berichtete Geschehen zum bewußtlosen Prozeß der Dinge. Jedoch ist Subjektivität nicht zu ihren inhaltlichen Momenten entfaltet. Subsumiert ist ihr Inhalt unter das prädikative Urteil, ohne daß Subjektivität selber da wäre. Sind die subjektiven Regungen zusammengerafft in den Urteilssatz, der lediglich das Datum ihrer Existenz, aber nicht mehr diese festhält, gleitet Subjektivität von den Gegenständen ab, die sie als ihr Substrat besetzt hielt, und fällt, zu kraftlos sie in sich zu integrieren, auf ihre versteinerte Form zurück. So folgt die Beschreibung der Menschen der der Dinge. Ihre sinnliche Beziehung ist ausgeblutet zur abstrakt logischen. „So war eine Strecke abgetan, als in den Tälern sich die kleinen Knospen der Rosen zu zeigen anfingen, und selbst an dem Hagedorn ... die Bällchen zu der schönen aber einfachen Blume sich entwickelten, die die Ahnfrau unserer Rosen ist. Ich beschloß daher, meine Reise in das Rosenhaus anzutreten. Ich habe mich kaum mit größerem Vergnügen nach einem langen Sommer zur Heimreise vorbereitet, als ich mich jetzt nach einer wohlgeordneten Arbeit zu dem Besuche im Rosenhause anschickte, um dort eine Weile einen angenehmen Landaufenthalt zu genießen. Eines Nachmittags stieg ich zu dem Hause empor, und fand die Rosen zwar nicht blühend aber so überfüllt mit Knospen, daß in nicht mehr fernen Tagen eine reiche Blüte zu erwarten war."[33] Die Subsumtionen: „ich beschloß daher" und das „größere Vergnügen" des folgenden Satzes schneiden Subjektivität von den Dingen ab, deren beider Zusammenhang sie doch vermittelt hat. Hagedorn, Rosen und Haus sind der Subjektivität fremd, und das Subjekt hat bei ihnen seine Regung, die es von ihnen empfing oder zu ihnen führte, vergessen. Daß die von ihrem anderen Gegenstand abgetrennte Subjektivität, die auf ihr eigentümliches Wesen beschnittene, leer ist, verbirgt der Roman nicht: „Oft, wenn ich durch wildes Gestrippe plötzlich auf einen freien Abriß kam, und mir die Abendröte entgegen schlug, weithin das Land in Duft und roten Rauch legend, so setzte ich mich nieder, ließ das Feuerwerk vor mir verglimmen, und es kamen allerlei Gefühle in mein Herz."[34] „Allerlei Gefühle" beschreiben Subjektivität als leere Form ihrer selber. Nicht sie, sondern die emanzipierten Dinge bestimmen nun das Subjekt. Von der auf sich isolierten Subjektivität treiben die Gegenstände ab und folgen dem Gesetz eigener Schwerkraft. Das leer gewordene Subjekt spiegelt sie wider und findet an ihnen bei sich seine Heimat. Daß es die wahre ist, dafür sorgt der Roman, indem er die richtigen Gegenstände versammelt. So gelingt phantastische Erlösung der Seele in der prästabilierten Harmonie von Subjekt und Objekt. Doch das Subjekt verliert sein Eigenes darin: Subjektivität verhallt in Namen und Titel. Leere Form, wird sie in diesen zu prädikativen Merkmalen des baren Ichs der Personen, das Anderes zu seinem Inhalt hat und darin zur Ruhe findet.

II. DIE LIEBE

Daß die Liebe Heinrichs und Nataliens Erfüllung findet in den Gebilden gesellschaftlicher Konvention, wie sie die geordnete und kodifi-
zierte Bürgerlichkeit des Romans beschreibt, läßt die Aura der Geborgenheit an diesen strahlen. Doch die Kraft, die die Gebilde für ihren Schein
brauchen, saugen sie aus dem subjektiven Wesen der Liebe. Zur Un-
wirklichkeit erkaltet sie, da sie den entfremdeten Gebilden Wärme gibt.
Dies verleiht den gesellschaftlichen Ordnungen zur Zeit, da schon Flau-
bert schrieb, ästhetisch noch einmal Legitimation, die sie geschichtlich
nicht mehr besaßen. Den Schein dieser Legitimation bezogen sie aus
dem im Vergleich zu Frankreich und England zurückgebliebenen status
quo des Agrarstaats Österreich. Förderten dort Industrie und Handel
universelle Interessen, so hier Ackerbau, Manufaktur und beschränkter
Handel lokale Interessen von Kleinbürgern und Bauern. Im geographisch
isolierten Binnenland, das sich gegen europäische Zivilisation und Aufklä-
rung verstockte, deckte sich der beschränkte Gesichtskreis mit den alten
beschränkten Lebensverhältnissen, letztlich einem bürgerlich geschwäch-
ten Feudalsystem als der typischen politischen Verfassung von Agrar-
gesellschaften.* Doch ist diese Legitimation, in der sich so viel an Reaktion
vermittelt, ästhetisch balanciert in der Strenge der Bedingungen, welche
die Gebilde bürgerlicher Konvention stellen und die von der Liebe einge-
löst werden. Der Consensus der Familien, die Übereinstimmung in Alter,
Bildung und Vermögen der Liebenden, transformieren die Erfüllung zur
utopischen Konstruktion. Sie bezeichnet in der Summe der übereinstim-
menden Bedingungen ihren Abstand vom geschichtlichen Dasein, das die

---

* Vgl. Friedrich Engels' ,,Der Anfang des Endes in Österreich`` und ,,Der Status
quo in Deutschland``.

Subjekte einer unfreien Gesellschaft vor deren Bedingungen versagen läßt. Doch spiegelt jene Konstruktion wie ein geschichtsphilosophisches Sinnbild des Gesetz bürgerlicher Gesellschaft wider, die Liebe nur in der Entsprechung mit ihren Gebilden duldet. Wenn Liebe zwar noch niemals außerhalb der Gebilde und der von diesen erhobenen Bedingungen war, so war sie in ihnen nicht mit ihrem eigenen Inhalt, sondern gehorchte einem dem Subjekt entfremdeten Gesetz. In der Strenge und der Zahl der gesellschaftlichen Bedingungen und der Genauigkeit, mit welcher die Liebenden ihnen genügen, prägt sich die Härte real verfestigter Gesellschaft aus, deren Gebilde zu autonomen verknöchert sind. Sie sind nicht mehr objektive Formationen des Interesses der Subjekte, vielmehr hat sich dieses langwierig mit ihnen als einem Entfremdeten zu vermitteln. Daß, wie in Hegels Logik, die komplexe Vermittlung in der berechneten Konstruktion des Romans gelingt, legitimiert Gesellschaft und die von ihr den Subjekten auferlegten Bedingungen als rechtmäßig bestehende. Aber nicht nur ist die Vermittlung des Interesses von Liebe mit gesellschaftlichen Gebilden Ausdruck von deren Apologie, es hat sich auch die Idee vom Glück der Menschen, als deren Statthalter Liebe im Roman fungiert, entsagungsvoll an den bestehenden Bedingungen orientiert und springt nicht mehr über alles bloß Bestehende hinaus, um sich wie in Novalis' »Heinrich von Ofterdingen« in selbstgeschaffener Wirklichkeit erhabne Erfüllung zu geben. Aber die Komplexion der von den Liebenden erfüllten Bedingungen, die zwischen dem Interesse von Liebe und dem der Gesellschaft vermitteln, um den Liebenden jenes hohe gesellschaftliche Niveau zu sichern, dessen Liebe für den Schein möglicher realer Erfüllung bedarf – diese Komplexion setzt neben das apologetische zugleich das Moment realer Unmöglichkeit. Unmöglich ist solch eine märchenhaft mit den Konventionen übereinstimmende Liebe; aber ästhetisch balanciert das irreale das apologetische Moment. In dieser Balance hat der Roman Teil an der Wahrheit einer sich selbst aufhebenden utopischen Phantasie.

Scheint zwar Subjektivität der Liebenden geborgen in der dem Subjekt entfremdeten bürgerlichen Konventionalität, so schwindet sie doch, indem sie sich an jene entäußert. Positiv erscheinende Liebe schlüpft ausfüllend in die Hülsen des Zeremoniells, wie der Roman es beschreibt als Geständnis der Liebenden, Verlobung und Hochzeit. Außerhalb dieser ist die Liebe nur in der Blässe negativen Scheinens, wo die Liebenden als identische eingehen in die konventional geprägte Welt des Asper- und

24

Sternenhofes. In den Situationen wohlanständigen Umgangs in Haus und Landschaft werden sie beschrieben, die doch als Liebende zwar noch verstummt, aber schattenhaft einen Raum außerhalb ihrer gegenständlichen Definitionen okkupieren. Denn die Subjektivität ihrer Liebe verstummt zwar, wo sie nicht mehr festgelegter Bestandteil der konventional ausgezirkelten Verhaltensmuster ist, hebt sich aber noch als Spur ihres eigenen Vergehens im Schein auf.

Verblassend schmiegen sich die Subjekte in die leeren und starren Gebilde, die ihr Dasein ausmachen, um, sich ihnen hingebend, sie zu ihrer angemessenen Wirklichkeit zu machen. Beschwörende Vergegenwärtigung der Gebilde versucht Erfüllung in ihnen zu fingieren. Imagination dringt in die Gebilde ein als den geschichtlich einzig gegebenen Realien, die dem bürgerlichen Subjekt Substrat sein konnten. Eindringend verwandelt sie diese zu ihrem Gefäß und verwandelt sich selbst, indem sie sich diesen anverwandelt. Geschichtlich angezeigt war diese Entäußerung der Subjektivität an die Bedingungen der Konvention, da Subjektivität Erfüllung suchend anders nur die entfremdeten Gebilde hätte zerstören können, aber durch deren Macht gehalten kein geschichtlich Neues auf ihren Trümmern hätte zu fügen vermocht. Dies verrät die konstitutive Abkunft des Romans aus ergebungsvollem Konservatismus, der eins ist mit tyrannischem Willen zur Versöhnung. Dessen Schwäche entspringt aus kleinbürgerlicher Prüderie, die ohnmächtig gegen ihre beengenden Verhältnisse sich all dessen an unerlöster Subjektivität entschlägt, dem die reale Erfüllung versagt blieb.

Die Transfiguration, in der Subjektivität Erlösung gefunden hat, ist identisch mit ihrem Verschwinden. Die Darstellung zeichnet nicht die Innerlichkeit der Personen auf, in deren Sphäre Liebe ihren Ort hat. Innerlichkeit ist Äußerlichkeit des Geschehens geworden. Von Liebe, jener heterogenen Bewußtseinseinheit aus Empfindung, Bild und Gedanke, in denen die Libido sich bricht, bleibt ein Nachhall nur im Gestus und der formalen Rede. So vermag das bloße Erschrecken, das bei Heinrich und Natalie in zufälliger Begegnung notiert wird, ihre Liebe zu verzeichnen, während doch mit der Gleichartigkeit des Gestus die Individualität der Liebe endet. „Während sie so sprach, regten sich die Zweige neben einem schmalen Pfade, der aus dem Gebüsche auf den Platz führte, und Natalie trat auf dem Pfade hervor. Sie war erhitzt, und trug einen Strauß von Feldblumen in der Hand. Sie mußte nicht gewußt haben, daß ein Fremder bei der Mutter sei; denn sie erschrak sehr, und mir schien, als ginge durch das Rot des erwärmten Angesichts eine Blässe, die wieder mit einem noch stärkeren Rot wechselte. Ich war ebenfalls beinahe erschrocken, und stand auf."[35] Ähnlich vermag Liebe auch nicht mehr im Liebesgespräch der beiden Laut zu werden. An den entleerten Formeln der Liebessprache hängt Liebe nur noch als verlorener Nachhall dessen, was die Worte beizubringen versuchen. Am Namen von Liebe ertönt nicht mehr ihre originäre Stimme, sondern flattert haltlos ihr vom Epigonen der Klassik sorglich zurückgelenkter Reflex, während sie selber – ähnlich der klassischen Zeit – ins Wesenlose verflogen ist. Liebe meint nicht mehr Liebe. „Ihr wart ohne Anspruch, ich sah, wie Ihr die Dinge dieser Erde liebtet, wie Ihr ihnen nach ginget, und wie Ihr sie in Eurer Wissenschaft hegtet – ich sah, wie Ihr meine Mutter verehrtet, unsern Freund hochachtetet, den Knaben Gustav beinahe liebtet, von Eurem Vater Eurer Mutter und Eurer Schwester nur mit Ehrerbietung sprachet, und da – – da –

„Da, Natalie?

„Da liebte ich Euch, weil Ihr so einfach so gut und doch so ernst seid.

„Und ich liebte Euch mehr, als ich je irgend ein Ding dieser Erde zu lieben vermochte."[36]

Vollends schlägt gegen den Sinn von Liebe ihre Motivation aus Sympathie zu sittlichen Charakterqualitäten der Person; mag immerhin Liebe auch derartiges besetzt halten, so doch nur als ein erotisches Symbol.

Wenn Subjektivität aus den Gebilden der Konvention, aus dem konventionalen Verkehr der Personen verschwunden ist, um sich nunmehr identisch in ihnen bruchlos zu manifestieren, so hat das gesellschaftliche Wesen der Gebilde sie hinausgewiesen. Dem geschichtlichen Subjekt entfremdet, stehen sie ihm in undurchdringlichem Schein gegenüber, das in seinen Gebilden sich nicht vollenden kann und das, sich ihnen einfügend, nur verkümmert. So sind für die Liebenden die Gebilde, mit denen sie als ihrer Äußerlichkeit eins sind, dem Tabu der Sexualität unterworfen. Die zur konkreten Darstellung ausgeführte Subjektivität entfalteter Liebe hätte die Identität von Liebenden und Gebilden zerfallen lassen in den geschichtlich unaufgelösten Widerspruch von subjektivem Begehren und objektiven Versagungen. Bewahren können hätte der Roman die Identität vor dem Zerfall allein dadurch, daß die entfaltete Subjektivität die Forderungen der Gebilde als ihr eigenes Wesen

26

spiegelte, in ihre Bewegung deren enge Begrenzung aufnähme: doch hätte Subjektivität in der bewahrten und ausgeführten Identität als falsche gelebt. Um ihr eigenes Wesen gebracht, wäre sie zur leeren Wiederholung eines ihr Fremden geworden.

So setzt der Roman um seiner Wahrheit willen die Sphäre gegenständlicher Äußerlichkeit als seine Sphäre schlechthin. In der dinghaften Gegenständlichkeit der vom Romangeschehen vermittelten Situationen tritt das Subjekt, dessen Innerlichkeit verstummt ist, in wortlosen Einklang zu den Gebilden. Äußerlichkeit ist die Leere, in der die Subjekte zusammensinken auf ihren Umriß. Als Schemen sind sie erzwungen von der obersten Ironie des Kunstwerks, welche die in ihm verfügte restlose Entäußerung der Subjekte an die entfremdeten Gebilde als die Aufgabe subjektiver Substantialität festhält. Dialektische Ironie läßt das Kunstwerk in seiner Konstruktion der Versöhnung des geschichtlich nicht Versöhnbaren den eigenen Schein einbekennen. Der Mangel seiner Personen fällt zusammen mit der Wahrheit des Romans.

Liebe entfaltet sich gebunden innerhalb starrer Konventionen, die ihre Manifestation versagen. Das Geschehen beschreibt diese Konventionen in den zufälligen Begegnungen der Liebenden, da sie, als Liebende verstummt, von Drittem, Anderem zu reden beginnen und ihr Verhalten prüdestem gesellschaftlichen Zeremoniell ähnelt. Gänzlich in Zeremoniell verwandelt hat sich Liebe, da sie nach dem Eingeständnis der Liebenden allein sich noch manifestiert in feierlicher Werbung, Verlobung und Heirat. Eingeordnet in die Gebilde der Konvention, die mit ihrem Gesetz die Situationen des Geschehens prägt, erscheint das subjektive Wesen von Liebe nicht mehr. Statt dessen staut sich die unerfüllte und unausgesprochene Liebe in den ihr fremden Gebilden auf, füllt deren Gestalt aus und läßt sie selber zur neuen Gestalt von Liebe werden.

Die Umsetzung der Gebilde ins Wesen leistet der Roman, indem sich die Begegnungen der Liebenden aus dem um sie her amorpher fließenden Ablauf des Geschehens aufstauen zu äußerster gegenständlicher Konkretion. Präziser Detailrealismus in der Beschreibung der Gestik der Personen und der Dinglichkeit des Ortes treibt die Situation durch ihre nur sich selbst meinende Gegenständlichkeit als Geschehen hindurch in die Sphäre eines mythisch Bedeutungshaften reiner Gegenständlichkeit. Diese Präzision meint nicht Totalität im Bereich gegenständlicher Wahrnehmung, sondern ist präformiert auch hier durch das Stilisationsprinzip des Romans, das Häßliches eliminiert und Gewöhnliches durch die Technik der auswählenden Beschreibung in Schönes zu transfigurieren trachtet. Betroffen sind von jener säkularmythischen Intention insbesondere die Begegnungen der Liebenden vor ihrem Bund, den sie schließen, nachdem sie einander ihre Liebe offenbart haben. Es sind die Begegnungen von jener ersten flüchtigen an, da an Heinrich, der von seinem ersten Besuch im Asperhof heimkehrt, unterwegs ein offener Wagen vorbeirollt, in dem Natalie mit ihrer Mutter sitzt.[37] Jener kurz aufleuchtenden folgt die zweite bei einer Aufführung des »König Lear« im städtischen Hoftheater.[38] Schließlich fügen sich ihnen, ihr scheinhaftes Versprechen einlösend, die Begegnungen der nunmehr zufällig im Hausstande des Asperhofes Vereinigten an. „Eines Tages, da ich selber einen weiten Weg gemacht hatte, und gegen Abend in das Rosenhaus zurück kehrte, sah ich, da ich von dem Erlenbache hinauf eine kürzere Richtung eingeschlagen hatte, auf bloßem Rasen zwischen den Feldern gegangen, auf der Höhe angekommen war, und nun gegen die Felderrast zuging, auf dem Bänklein, das unter der Esche derselben steht, eine Gestalt sitzen. Ich kümmerte mich nicht viel um sie, und ging meines Weges, welcher gerade auf den Baum zuführte, weiter. Ich konnte, wie nahe ich auch kam, die Gestalt nicht erkennen, denn sie hatte nicht nur den Rücken gegen mich gekehrt, sondern war auch durch den größten Teil des Baumstammes gedeckt. Ihr Angesicht blickte nach Süden. Sie regte sich nicht, und wendete sich nicht. So kam ich fast dicht gegen sie heran. Sie mußte nun meinen Tritt im Grase oder mein Anstreifen an das Getreide gehört haben; denn sie erhob sich plötzlich, wendete sich um, damit sie mich sähe, und ich stand vor Natalien. Kaum zwei Schritte waren wir voneinander entfernt. Das Bänklein stand zwischen uns. Der Baumstamm war jetzt etwas seitwärts. Wir erschraken beide. Ich hatte nämlich nicht – auch nicht im Entferntesten – daran gedacht, daß Natalie auf dem Bänklein sitzen könne, und sie mußte erschrocken sein, weil sie plötzlich Schritte hinter sich gehört hatte, wo doch kein Weg ging, und weil sie, da sie sich umwendete, einen Mann vor sich stehen gesehen hatte. Ich mußte annehmen, daß sie nicht gleich erkannt habe, daß ich es sei.

„Ein Weilchen standen wir stumm einander gegenüber, dann sagte ich: Seid Ihr es, Fräulein, ich hatte nicht gedacht, daß ich Euch unter dem Eschenbaume sitzend finden würde.

„Ich war zu ermüdet, antwortete sie, und setzte mich auf die Bank,

28

um zu ruhen. Auch dürfte es wohl an der Zeit später geworden sein, als man gewohnt ist, mich nach Hause kommen zu sehen.

...

„Während dieser Worte war ich aus der ungefügen Stellung im Grase hinter dem Bänklein auf den freien Raum herüber getreten, der sich vor dem Baume ausbreitet, Natalie hatte eine leichte Bewegung gemacht, und sich wieder auf das Bänklein gesetzt.

...

„Da müßt Ihr ja recht müde sein, sagte sie, und machte eine Bewegung auf dem Bänklein, um mir Platz neben sich zu verschaffen. Ich wußte nicht recht, wie ich tun sollte, setzte mich aber doch an ihrer Seite nieder.

...

„Mir war es seltsam, daß ich mit Natalien allein unter der Esche der Felderrast sitze. Ihre Fußspitzen ragten in den Staub der vor uns befindlichen offenen Stelle hinaus, und der Saum ihrer Kleider berührte denselben Staub. In der Krone der Esche rührte sich kein Blättlein; denn die Luft war still. Weit vor uns hinabgehend und weit zu unserer Rechten und Linken hin, so wie rückwärts war das grüne der Reife entgegen harrende Getreide. Aus dem Saume desselben, der uns am nächsten war, sahen uns der rote Mohn und die blauen Kornblumen an. Die Sonne ging dem Untergange zu, und der Himmel glänzte an der Stelle, gegen die sie ging, fast weißglühend über die Saatfelder herüber, keine Wolke war, und das Hochgebirge stand rein und scharf geschnitten an dem südlichen Himmel.“[39]

Extensive Präzision steigert die Intensität des gegenwärtig Daseienden. Äußerste gegenständliche Wirklichkeit des Beisammenseins der Liebenden schlägt um in die liebende Beziehung. Aus der liebend angeschauten Gegenständlichkeit der konventionalen Gebilde flammt der über ihre erstarrte Objektivität hinausschlagende Sinn, der um sie den Schein der Erlösung verbreitet. Unbewußt paraphrasiert der »Nachsommer« eine Reflexion aus den »Wahlverwandtschaften« Goethes, dessen Klassik der Epigone verfehlte, wo er ihr bewußt nacheiferte. „Alles Vollkommene in seiner Art muß über seine Art hinausgehen, es muß etwas anderes, Unvergleichbares werden. In manchen Tönen ist die Nachtigall noch Vogel; dann steigt sie über ihre Klasse hinüber und scheint jedem Gefiederten andeuten zu wollen, was eigentlich singen heiße.“[40]

Wohinein ihr Beisammensein sich umwandelt, resultiert aus dem Erschrecken und der Verlegenheit der Liebenden, da sie sich begegnen. Diese Empfindungsreflexe unterscheiden die Situation von ähnlich präzisierten innerhalb des Gesamtgeschehens, wie den Begegnungen Heinrichs mit dem Freiherrn von Risach. Der subjektive Reflex des Beisammenseins verwandelt dieses in das Beisammensein von Liebenden: ihr Erschrecken ist dasjenige der stumm Liebenden, deren Liebe in der Begegnung aus verborgener Latenz aufbricht.

Doch bezeugen gerade Erschrecken und Verlegenheit, daß Steifheit und entfremdete Konventionalität im Beisammensein nicht völlig sich aufheben. Hart und unaufgelöst dauern sie in Erschrecken und Verlegenheit noch an. Subjektive Reaktionen, sind sie der gleichgültigen Situation der zufälligen Begegnung fremd. Sie deuten an, daß mit denen, die sich da harmlos treffen, etwas anderes ist. Sie verweisen darauf, daß die Fassade der konventionalen Gebilde Innerlichkeit selbständig nicht mehr erscheinen zu lassen vermag, wie auch, daß Innerlichkeit jenseits der Gebilde noch apartes, bloß subjektives Dasein führt und in diesen noch nicht ihre erfüllte Wirklichkeit gefunden hat. Denn Erschrecken und Verlegenheit bezeichnen allzumal Inkongruenz der Innerlichkeit des Subjekts mit der Äußerlichkeit der Gebilde.

Aber die aufleuchtende Innerlichkeit ist erstarrt in den Gestus bloßen Erschreckens und bloßer Verlegenheit. In dem Gestus hat Innerlichkeit sich von apartem Dasein weg entäußert. In dem Moment ihres Aufleuchtens steigt die in ihr gemeinte Idee der Liebe auf. Von Erschrecken allein geweckt und Verlegenheit allein genährt, empfängt die unbestimmt gebliebene Liebe ihre Gestalt von der gegenwärtigen Gestalt der Gebilde. Inmitten dieses Kraftfeldes der Begegnung wird jedes Ding mehr als das, was als seine Gegenständlichkeit beschrieben ist, jedes Wort der Liebenden mehr als das, was in ihm gesagt wird. Ihre Unmittelbarkeit, die von Liebe nichts weiß, transzendiert in die Negativität von Liebe. Ungesagt bringt der Roman den Gebilden Liebe noch einmal ein, während es ihm nicht gelingt, wo, wie im Liebesversprechen der beiden, von ihr in entfremdeter Sprache gesprochen wird, deren Leere nichts mehr zu fassen vermag. Daß Erschrecken und Verlegenheit jene transponierende Funktion ausüben, erweisen ähnliche andere Situationen, in denen ihr Gestus nirgends fehlt. „Es war ein sehr schöner Tag, keine einzige Wolke stand an dem Himmel, die Sonne schien warm auf die Blumen, daher es stille von Arbeiten und selbst vom Gesange der Vögel war. Nur das einfache Scharren und leise Hämmern der Arbeiter hörte ich, welche mit der Hinwegschaffung der Tünche des Hauses in der Nähe meines Ausganges auf Gerüsten beschäftigt waren. Ich ging neben Gebüschen und verspäteten Blumen einem Schatten zu, welcher sich mir auf einem Sandwege bot, der mit ziemlich hohen Hecken gesäumt war. Der Sandweg führte mich zu den Linden, von diesen ging ich durch eine Überlaubung der Eppichwand zu. Ich ging an ihr entlang, und trat in die Grotte des Brunnens. Ich war von der linken Seit der Wand gekommen, von welcher man beim Herannahen den schöneren Anblick der Quellnimphe hat, dafür aber das Bänkchen nicht gewahr wird, welches in der Grotte der Nimphe gegenüber angebracht ist. Als ich eingetreten war, sah ich Natalien auf dem Bänklein sitzen. Sie war sehr erschrocken, und stand auf. Ich war auch erschrocken; dennoch sah ich in ihr Angesicht. In demselben war ein Schwanken zwischen Rot und Blaß, und ihre Augen waren auf mich gerichtet."[41] Hieraus ergibt sich, daß die vorher berichtete Erklärung des Erschreckens von Natalie: „Sie mußte erschrocken sein, weil sie plötzlich Schritte hinter sich gehört hatte"[42], Überlegung Heinrichs und nicht objektiv geltender Bericht des Erzählers ist.

Doch die nur negativ in der Begegnung der Liebenden sich ausbildende Liebe verharrt bei einer unbestimmten Anziehung. Höfliches Gebaren der Liebenden schränkt sie ein. Die neue Gestalt, die Liebe in den Gebilden erhält, an welche die Subjekte sich entäußert haben, ist als Anziehung die der scheinenden Form von Liebe ohne deren Inhalt. Blaß ist daher auch der Schein des Sinnes, der die Gebilde umgibt, deren positiver Inhalt nicht Liebe ist. Die Schwäche dieser scheinhaften Liebe bemißt sich an dem strahlenderen Schein von Liebe in den »Wahlverwandtschaften«, wenn sie dort auch – anders als im »Nachsommer« – nicht siegreich ist. Die Liebe der unbewußt Liebenden, Eduards und Ottiliens, geht nicht ein in die auf ihre Liebe beziehungslose Konventionalität gesellschaftlichen Verkehrs, wenngleich sie sich während der Entfaltung in dieser ausprägt. Deformiert aber hat dort schon im Beginn die Gewalt ihrer Liebe gesellschaftliche Konventionalität, ohne noch ihren Zusammenhang zu zerreißen.* Im unaussprechlich innigen musikalischen Zusammenspiel der Liebenden, in dem auf „liebevolle Weise entstellten" Werk der falsch Spielenden offenbart sich das über die Gebilde hinausdrängende Hinneigen der Seelen. Die schließlich

---

* In der in diesem Zusammenhang angedeuteten dialektischen Theorie des Scheines beziehe ich mich auf den Aufsatz Walter Benjamins über die »Wahlverwandtschaften« in: Schriften I. (Wahlverwandtschaften I, 8).

in der Zerstörung der Gebilde untergehende Liebe versucht Stifter im »Nachsommer« mit den von ihm erneuerten Gebilden zu versöhnen. Der Preis der Versöhnung ist ihr Entschwinden.

Nach dem geschlossenen Bund ist die Liebe dem Beschluß der beteiligten Familien überantwortet. Es verlagert sich das Geschehen auf die Entscheidungen der Familien. Seinen Gang bestimmt elterliche Zustimmung und die von den Familien festgesetzten und eingerichteten Ereignisse feierlicher Werbung, Verlobung und Heirat. So sind Heinrich und Natalie Beteiligte und nicht Handelnde in dem Geschehen, das sie angeht, aber nicht mehr von ihnen ausgeht, und in dessen Zeremonien Liebe ihr eingefrorenes Antlitz zeigt. Indem Subjektivität der Liebe eins wird mit den Gebilden, in die sie sich entäußert hat, werden die Liebenden zum Requisit der sie präformierenden Konvention, da diese selber zu agieren anhebt.

Nach formelhaftem Geständnis und Bund der Liebenden enthält der Roman bis zu feierlicher Heirat keine Liebesszene mehr, und es kommt nur noch zu einer jener Begegnungen der Liebenden, in denen ihre Liebe verstummt sich im Scheinen ausbildete. Sie folgt dem Geständnis am nächsten Tag. Dies gründet in ästhetischer Notwendigkeit. Liebe hätte, von den Liebenden einmal beim Namen gerufen, als ausgestaltete sich nicht mehr in der Enge des zeremoniell Erlaubten erfüllen können, ohne ihre Leere einzugestehen. Die Erfüllung der Formen, welche als der Brautleute züchtiger Umgang angegeben sind, hätte die Formen zu ihrem Inhalt in einen zerreißenden Widerspruch gebracht; denn Liebe als sie erfüllender Inhalt ist in jenen konventionalen Formen zugleich als nicht erfüllte gesetzt. Nicht nur ist im ehrbaren Brautstand Liebe noch nicht zu sich selber gekommen, auch dem Roman terminiert die Geschichte der Liebenden erst in Heirat.

So verlieren sich die Liebenden im differenzierten Prozeß familiärer Maßnahmen; ihre Liebe zerfällt in das caput mortuum der Feierlichkeiten. In dem im dritten Band des Romans ausgestalteten Prozeß erscheint Familie als mit dem Interesse von Liebe versöhnt. Doch die extensive Ausgestaltung ist eine Restauration der Familie. Der Raum, den jene Restauration im Geschehen behauptet, gibt Kunde von der ästhetischen Anstrengung, deren es bedurfte, die sinnesfremde geschichtliche Mächtigkeit der bürgerlichen Familie im Frühindustrialismus zu transponieren in die richtige Familiarität. Die Präponderanz, welche die Familien des »Nachsommers« über die Liebenden erlangen, ist geschichtsphilosophisches Insignum der in ihr eingeholten Sinnesferne des konventionalen Gebildes einerseits, wie der in sie umgewandelten Macht andererseits, die geschichtlich die Gebilde über die Subjekte ausübten. Es ist eben jene Präponderanz, der Mathilde und Risach einst („im Rückblick") erlegen sind. Aber die Macht der Familie war historisch nicht in dieser zu suchen. Sie war als bürgerliche Kleinfamilie vom Frühindustrialismus längst entmachtet und abhängig vom Einkommen des Verdieners geworden. In der sinnlosen Macht, die sie über die von ihr Abhängigen ausüben mußte, triumphierte nur die opake Wirtschaftsverfassung. Das Familienpathos Stifters ist daher – nicht anders als das Lamento W. H. Riehls[43] über den Verfall der Familie – Ideologie: „Die Familie ist es, die unseren Zeiten nottut, sie tut mehr not als Kunst und Wissenschaft als Verkehr Handel Aufschwung Fortschritt, oder wie alles heißt, was begehrenswert erscheint. Auf der Familie ruht die Kunst die Wissenschaft der menschliche Fortschritt der Staat."[44] Daß die Familie scheinhaft im Roman jenes autonome Wesen erlangt, das Ideologie ihr zuteilt, dankt sie der dort ihr verliehenen autonomen Macht, die sich ökonomisch zu Recht herleitet aus dem Reichtum der Romanfamilien.

In den sinnvoll konstruierten Erwägungen und Beschlüssen der Familien, denen das Schicksal der Liebenden überantwortet ist, balanciert der Roman die sinnlose Mächtigkeit der geschichtlichen Gebilde. Allein daseiende Mannigfaltigkeit vermag den ins Kunstwerk als schönen transfigurierten Gebilden Wahrscheinlichkeit zu verleihen, indem sie die Erinnerung an deren geschichtliches Wesen verdrängt. So siegen scheinhaft die Liebenden im geschichtsphilosophischen Sinne als Unterliegende. Ihre Liebe hebt nicht die Gewalt der Gebilde auf, sondern siegt, indem sie ihre Bedingungen in sich aufgenommen hat. Wo Liebe nur Liebe des Erlaubten und des möglich Erfüllbaren ist, bekundet die in ihr formulierte Versöhnung, daß in Wahrheit keine ist. In der Konstruktion aber dieser Versöhnung beginnt Konvention in ihren Gebilden ein zweites, abgeblaßtes Leben wiederhergestellten Sinnes zu führen. Ihrem Schein werden die Subjekte aufgeopfert, die ihn als lebende entweder zerstört oder korrumpiert hätten. Aus deren schwindender Materialität zieht Konvention ihr geliehenes Leben. Die schwache Süße des nachsommerlichen Weltgebildes ist diejenige der Utopie, einer idealischen Verheißung, doch nicht ihrer Realität. Vergebens dekretierte ihr diese der Autor.

Zwar füllen die Liebenden die konventionalen Figuren, die Reihe der Begegnungen in den vier Jahren der Annäherung und die familiären

Zeremonien der Verehelichung; aber Liebe treibt über die jeweils von prüder Konvention festgelegten Stufen sich entfaltender Liebe hinaus. Ruht sie in jeder, so zieht es sie doch jede aufhebend hin zu ihrem gesetzten Ziel natürlicher Erfüllung – zur letzten Figur des Romans, der jene Erfüllung einschließt in bürgerlicher Familiengründung.

Zentral fürs Geschehen des Romans ist jener Übergang der Liebe in eine neue Gestalt, da die Liebenden einander in der Brunnengrotte des Sternenhofs begegnen. Die Quellnymphe aus reinem weißen Marmor, das klar fließende Wasser, das marmorne Bänkchen und die schweigende Epheuwand sind gegenwärtige Symbole, da Heinrich und Natalie sich ihre Liebe bekennen. Die Begegnung scheint im Beginne noch eine der vielen zu sein, in denen Liebe verstummt und doch gegenwärtig ist. Aber sie ist die letzte, denn die Liebenden heben von dem Wesen zu sprechen an, das in der Stummheit ihres Beisammenseins verborgen war. Es ist ihnen die Liebe. „Wenn wir beide das Schöne dieses Ortes betrachtet, und wenn wir von ihm und andern Dingen, auf die er uns führte, gerne gesprochen haben, so ist doch etwas in ihm, was mir Schmerz erregt. Was kann Euch denn an diesem Orte Schmerz erregen? fragte sie. Natalie, antwortete ich, es ist jetzt ein Jahr, daß Ihr mich an dieser Halle absichtlich gemieden habt. Ihr saßet auf derselben Bank, auf welcher Ihr jetzt sitzet, ich stand im Garten, Ihr tratet heraus, und ginget von mir mit beeiligten Schritten in das Gebüsch. Sie wendete ihr Angesicht gegen mich, sah mich mit den dunkeln Augen an, und sagte: Dessen erinnert Ihr Euch, und das macht Euch Schmerz? Es macht mir jetzt im Rückblicke Schmerz, und hat ihn mir damals gemacht, antwortete ich. Ihr habt mich ja aber auch gemieden, sagte sie. Ich hielt mich ferne, um nicht den Schein zu haben, als dränge ich mich zu Euch, entgegnete ich. War ich Euch denn von einer Bedeutung? fragte sie. Natalie, antwortete ich, ich habe eine Schwester, die ich im höchsten Maße liebe, ich habe viele Mädchen in unserer Stadt und in dem Lande kennen gelernt; aber keines selbst nicht meine Schwester achte ich so hoch wie Euch, keines ist mir stets so gegenwärtig, und erfüllt mein ganzes Wesen wie Ihr. Bei diesen Worten traten die Tränen aus ihren Augen, und flossen über ihre Wangen herab. Ich erstaunte, ich blickte sie an, und sagte: Wenn diese schönen Tropfen sprechen, Natalie, sagen sie, daß Ihr mir auch ein wenig gut seid? Wie meinem Leben, antwortete sie. Ich erstaunte noch mehr, und sprach: Wie kann es denn sein, ich habe es nicht geglaubt. Ich habe es auch von Euch nicht geglaubt, erwiderte sie. Ihr konntet es leicht

wissen, sagte ich. Ihr seid so gut, so rein, so einfach. So seid Ihr vor mir
gewandelt, Ihr waret mir begreiflich wie das Blau des Himmels, und
Eure Seele erschien mir so tief, wie das Blau des Himmels tief ist. Ich
habe Euch mehrere Jahre gekannt, Ihr waret stets bedeutend vor der
herrlichen Gestalt Eurer Mutter und der Eures ehrwürdigen Freundes,
Ihr waret heute, wie Ihr gestern gewesen waret, und morgen wie heute,
und so habe ich Euch in meine Seele genommen zu denen, die ich dort
liebe, zu Vater, Mutter, Schwester – nein, Natalie, noch tiefer, tiefer –
Sie sah mich bei diesen Worten sehr freundlich an, ihre Tränen flossen
noch häufiger, und sie reichte mir ihre Hand herüber. Ich faßte die
Hand, ich konnte nichts sagen, und blickte sie nur an."[45] Da die Worte
der Liebenden die scheinende Liebe in der Begegnung berühren, verwandelt sich ihr darin verborgenes Wesen. Ihre Liebe springt um aus
der Negativität in die Positivität der eingestandenen. Beim Namen
genannt, erwacht sie zu sich selber und durchschlägt die Form, die
ihr zu eng geworden ist. War sie ehedem unter der Form der Begegnung herabgestimmt auf die Latenz nicht material bestimmter Anziehung, so entwindet sich Liebe der Latenz, da die Liebenden sie als
Wesen der Anziehung benennen, und gleitet über in die Figur, die den
Liebenden Anweisung auf konventional vermittelte Erfüllung gibt,
ohne doch natürliche Erfüllung schon zu sein. Die Liebenden schließen
den Treuebund. „Ich war von Empfindung überwältigt, ich zog sie näher
an mich, und neigte mein Angesicht zu ihrem. Sie wendete ihr Haupt
herüber, und gab mit Güte ihre schönen Lippen meinem Munde, um
den Kuß zu empfangen, den ich bot. Ewig für dich allein, sagte ich. Ewig
für dich allein, sagte sie leise. Schon als ich die süßen Lippen an meinen
fühlte, war mir, als sei ein Zittern in ihr, und als fließen ihre Tränen
wieder. Da ich mein Haupt wegwendete, und in ihr Angesicht schaute,
sah ich die Tränen in ihren Augen. Ich fühlte die Tropfen auch in den
meinen hervorquellen, die ich nicht mehr zurückhalten konnte. ... Wir
saßen nun schweigend neben einander, wir konnten nicht sprechen, und
drückten uns nur die Hände als Bestätigung des geschloßnen Bundes
und des innigsten Verständnisses."[46]

Im Umschlagen erteilt sich Liebe rückwirkend ein Moment des Un-
ausgefüllten. Dieses Unausgefüllte ihrer nunmehr vergangenen Geschichte meint das Weinen. Im Gestus des Weinens vermittelt sich das
aufgehobene Scheinen der Liebe negativ als Entsagung. Denn erwacht
im Weinen das Glück der zu sich selber gefundenen Liebe, so hat sie

aus der Erstarrung sinnfremder Beschränkung zu sich gefunden. Im Weinen löst die Erstarrung sich auf, und die Empfindung, die als Weinen die Subjekte durchflutet, zeigt die Größe des in ihnen erscheinenden Glücksgefühls, das keine das Weinen hindernde Schranke mehr kennt, und die Größe der aufgelösten Entsagung. Das tränende Antlitz, das Liebe zeigt, drückt gegenwärtige Erlösung wie vergangene Versagung in einem aus. Doch das Weinen der Liebenden ist bloßer Gestus. Was es außen an den Subjekten als die Bewegung der Liebe scheinen läßt, holen die Subjekte als ihre Innerlichkeit nicht ein. Nicht entfaltet sich eine Innerlichkeit sich wandelnder Gefühle, wie sie die Gestik voraussetzt. Die Schemen materialisieren sich nicht zu Individuen, sind sie auch Präokkupanten von deren Schein. So wird von der Intention des Weinens auch nicht der blasse harmonische Schein zerstört, in dem die Liebenden eins mit ihrer Geschichte werden. Die Versagung vermittelt sich der Geschichte ihrer Entäußerung an die Gebilde bloß als deren negativer Schein; nicht wird in den Liebenden beim Weinen diese Entäußerung rückwirkend zum Verzicht widerstrebenden Gefühls. Die Spuren der Tränen zeichnen diese objektive, den Subjekten transzendente Bewegung ihrer Liebe auf. Soweit in den Reden der Liebenden die Subjektivität ihrer Liebe nachgetragen werden soll, ist sie schlechterdings apokryph. „Wenn unsere Wesen zu einander neigten, obgleich wir es nicht gegenseitig wußten, so würden sie sich doch zugeführt worden sein, wann und wo es immer geschehen wäre, das weiß ich nun mit Sicherheit.“[47] Eingeschrumpft auf die Allgemeinheit des resümierenden Urteils reicht die einbekannte Subjektivität nicht mehr heran an das formgestaltete Wesen der Liebe. „Ich habe Euch schon damals in meinem Herzen höher gestellt als die andern, obwohl Ihr ein Fremder waret, und obwohl ich denken konnte, daß Ihr mir in meinem ganzen Leben fremd bleiben werdet. Natalie, was mir heute begegnet ist, bildet eine Wendung in meinem Leben, und ein so tiefes Ereignis, daß ich es kaum denken kann. Ich muß suchen, alles zurecht zu legen, und mich an den Gedanken der Zukunft zu gewöhnen.“[48] Der Mangel an konkreter Artikulation, der den Subjekten eignet und den sie gerade noch benennen können, kündet, wenn auch von der Schwäche des Romans, doch hierin zugleich von der defizitären Existenz der Subjekte, deren Individualität dem positiven Schein der Gebilde aufgeopfert ist. In diesem Unvermögen ist das Gespräch der Liebenden dem Wahrheitsgehalt des Romans näher als dort, wo die Psychologie detaillierter nachgezeichnet wird. „Ich habe es ja nicht gewußt, Natalie, und weil ich es nicht wußte, so mußte ich mein Inneres verbergen, und gegen jedermann schweigen, gegen den Vater gegen die Mutter gegen die Schwester, und sogar gegen mich. Ich bin fortgefahren, das zu tun, was ich für meine Pflicht erachtete, ich bin in die Berge gegangen ..."[49] In dem psychologischen Nachtrag zu der Geschichte der Liebe hat sich diese falsch konkretisiert. Vermochte die scheinende Liebe unter der formbegründeten Stilisierung sich zu verwandeln und in die heteronomen Gebilde zu transfigurieren, so fällt die subjektiv realisierte Liebe zurück auf das geschichtliche Niveau, auf das, was einzig die gesellschaftliche Objektivität der Versöhnung darstellen konnte: ihre Unterdrückung. Die Latenz der in Schweigen gehüllten liebenden Beziehung, da Heinrich und Natalie sich begegneten, wird von den Liebesreden revidiert zur Verlogenheit. Vollends unbekannt ist der dargestellten Realität des Romans jene späte Verfügung: „... aber, Natalie, wenn ich auf den Höhen der Berge war, habe ich Euer Bild in dem heiteren Himmel gesehen, der über mir ausgespannt war, wenn ich auf die festen starren Felsen blickte, so erblickte ich es auch in dem Dufte, der vor denselben webte, wenn ich auf die Länder der Menschen hinausschaute, so war es in der Stille, die über der Welt gelagert war, und wenn ich zu Hause in die Züge der Meinigen blickte, so schwebte es auch in denen."[50] Auf der Stufe bewußter Subjektivität, die den Subjekten im nachhinein zugeteilt wird, muß Liebe den heteronomen Gebilden gegenüber ihr nicht-identisches Wesen behalten, will sie als solche gelten. Sie macht sich als aparte Innerlichkeit gegen die Äußerlichkeit geltend und geht nicht mehr sich in sie verwandelnd in diese ein, es sei denn in die über ihre reale Erfüllung verfügende Figur einer Verlobung. In der nachgetragenen Psychologie wird die formbestimmte Identität der Liebenden zur Anpassung an das, was der Rahmen bürgerlich-gesellschaftlichen Verkehrs gestattet. Die in den Liebesreden im Nachhinein behauptete Diskrepanz zwischen Innerlichkeit und Äußerlickeit, die selber Diskrepanz im Dargestellten des Romans schafft, rührt aus den vom Autor in den Roman eingezogenen Intentionen eines pädagogischen Lehrstücks. Die Subjektivierung der Subjekte will die Realisierung des ästhetischen Scheins, will die scheinhafte Versöhnung von Liebe und gesellschaftlicher Konvention einbringen als empirische Möglichkeit. Doch diese nachgetragene Individualität der Liebenden, welche empirisches Dasein der ästhetischen Subjekte wahrscheinlich machen soll, ist eine geborgte; kurios ausstaffiert sind sie allein mit ihr, die ihnen vorher um des Scheines willen abgenommen worden war. So erreicht der Roman nicht das fremd gesteckte Ziel der Darstellung einer Liebe aus vorbildlicher Anständigkeit, deren Anständigkeit nicht mehr will, als ihr gerade innerhalb prüder Konventionen erreichbar ist. Daß die pädagogisch inspirierten Intentionen sich nicht in der ästhetischen Gestalt materialisieren, sondern heterogen in sie eingesprengt sind, ist begründet in ihrer Ungeheuerlichkeit. Die ästhetischen Formen vermögen solch eine Versöhnung nicht zu erzwingen.

Was im abstrakten Scheinen der Liebe von ihrem durch Konventionen unverletzten Wesen schattenhaft aufbewahrt ist, das zerfällt, da die Sprache nach ihm als einem Inhalt greift. Es ist der Zugriff des tugendhaften Bürgers. Ihm verflüchtigt sich die Idee der Liebe, da deren mächtigstes Moment, ihre körperhafte Sinnlichkeit, verdunstet ist in körperlose Anständigkeit. Hohl scheppern die Formeln, in denen ausgelaugte Liebe mit prüder Pracht renommiert: „... und so habe ich Euch in meine Seele genommen zu denen, die ich dort liebe, zu Vater Mutter Schwester − nein, Natalie, noch tiefer, tiefer −"[51] „Da liebte ich Euch, weil Ihr so einfach so gut und doch so ernst seid. Und ich liebte Euch mehr, als ich je irgend ein Ding dieser Erde zu lieben vermochte."[52] „O Natalie, wie wallt mein Herz in Freude! Ich habe es nicht geahnt, daß es so entzückend ist, Euch zu besitzen, die mir unerreichbar schien."[53] „Eure Neigung ist nicht schnell entstanden, sondern hat sich vorbereitet, du hast sie überwinden wollen, du hast nichts gesagt, du hast uns von Natalien wenig erzählt, also ist es kein hastiges fortreißendes Verlangen, welches dich erfaßt hat, sondern eine auf dem Grunde der Hochachtung beruhende Zuneigung."[54] Die blechernen Formeln, die verblasenen Ideale, Emanationen geschichtlich zerfallener Liebe, sind Produkte des Bürgers, dessen Innerlichkeit in Kontor und Bureau fallierte. Ihm bleibt, frustriert in Geschäft und Ämtern, die in die Sphäre des Privaten zurückgezogene Innerlichkeit der Gefühle und Gedanken als die letzte Domäne. Als Liebe ist sie das wesentlich nicht mehr im Erwerb Abdingbare. Sie bläht sich im Schoße der Familie auf und wird zum armseligen Ersatz alles anderen Verlorenen. In falscher Erhabenheit entledigt sie sich der Körperlichkeit, um die Erinnerung an die Reduktion des Subjekts auf die Instinkte zu tilgen. Die Familie wird zum Philisterium. Das Pathos, mit dem die bürgerlichen Ideale von Liebe und Familie verkündet werden, meldet einzig, daß es mit ihnen in Wahrheit nichts ist. Die in die Familie wie in einen baufälligen Verschlag verkrochene Liebe domestiziert die Frau zu ihrem Opfer. Sie umklammert sie als ihren letzten, nicht unterm Erwerbszwang prostituierten Besitz. Fatal vergleicht Heinrich Natalien mit einer Perle, „die ich mir als Geschenk an meine Brust zu heften im Begriffe war"[55]. Zum monopolistischen Besitztum wird Natalie als „Kleinod und mein höchstes Gut auf dieser Erde, ... es ist mir noch wie im Traume, daß ich es errungen habe, und ich will es erhalten, so lange ich lebe"[56]. Sind Naturgegenstände zwar für Stifter Objekt fast mystisch zu nennender Verehrung, so setzt die Argumentation die Perle doch zu einem gleichgültigen Gegenstand herab, dessen Zweck auch ein anderer versehen könnte. Natalie und Perle sind „höchstes Gut", aber doch schließlich Brusttuchschmuck. Die Keuschheit der Ehefrau hütet der Bürger als den letzten Ausweis ihm verbliebener Würde, das einzige an ihm Unverkäufliche. So charakterisiert denn Walter Benjamin in der Heimlichkeit bürgerlichen Liebesgebarens dessen Erbärmlichkeit. „Das Philisterium proklamiert restlose Privatisierung des Liebeslebens. So ist ihm Werbung zu einem stummen, verbissenen Vorgang unter vier Augen geworden, und diese durch und durch private, aller Verantwortung entbundene Werbung ist das eigentlich Neue am ‚Flirt'. Dagegen sind der proletarische und der feudale Typ sich darin gleich, daß in der Werbung sie viel weniger die Frau als ihre Konkurrenten überwinden. Das aber heißt die Frau viel tiefer respektieren als in ihrer ‚Freiheit', heißt ihr zu Willen sein, ohne sie zu befragen. ... Mit einer Frau bei der und der Gelegenheit sich zeigen, kann mehr bedeuten als mit ihr zu schlafen."[57] Ein nicht-öffentliches, konkurrentenloses Monopol ist die liebende Beziehung Heinrichs zu Natalien. An der Reinheit der entleibten Liebe begeisterte sich philologische Betrachtung des Romans. Ihr waren die Worte der Liebenden, da sie ihre Liebe erörtern, nur die bestätigende Antwort auf die eigenen hohlen Ideale. Das Gespräch der Liebenden in der Grotte vor der Quelle zählen Otto Pouzar[58], auch Emil Staiger[59] zu den makellosesten Liebesszenen deutscher Sprache. Wenn die Philologie sich dort an die spießigen Meinungen des Autors über die wahre Liebe halten kann, zu deren Sprachrohr er die Figuren macht, wird ihr darob auch das unausgesprochen scheinhafte Wesen der Liebe, in dem die Liebenden versöhnt mit deren äußerlicher Versagung sind, zu einer Manifestation von deren Anständigkeit. Doch die Stummheit der Liebe bis zum nennenden Wort der Liebenden meint nicht Reinheit, mag dies auch vom Autor so beabsichtigt gewesen sein; sondern in dieser Stummheit, die nichts benennt, bildet sich ein Hohlraum aus, in dem schattenhaft aber uneingeschränkt Erinnerung an das ganze Wesen von Liebe lebt. Diese Valenz des Scheines verfehlt die Philologie, ebnet sie ihn unter Berufung auf des Autors Intentionen auf platte Anständigkeit ein. Indem sie die Gestalt des Kunstwerks beiseiteschiebt, um zu den Meinungen des Autors zu gelangen, wie alles zu verstehen sei, vernichtet die Philologie gerade dessen Gewand des Reizes, in welchem für Stifters Ästhetik Kunst als eine sinnliche Erscheinungsweise des Göttlichen begründet war. Aus dem entblößten Kunstwerk schaut mit toten Augen hagere Tugendhaftigkeit die Philologie an.

Aber was das Räsonnement der Liebenden über ihre Liebe dem Roman nicht einbringen kann, das versucht die Symbolik. Die in der Brunnengrotte versammelten Symbole suchen die reine Liebe für die ästhetische Gestalt dingfest zu machen. Doch die Symbolik hält fest, daß Liebe, die ohne Begierde ist, Liebe, die nichts mehr will, als Liebe selber nicht mehr darstellbar ist. Für sie müssen Symbole eintreten: das klar fließende Wasser, der weiße Marmor, die reine Luft, der Glanz der Edelsteine sollen Bild der rein sich Liebenden sein, die von ihnen sprechen, da sie sich zu erkennen geben. Aber die Symbole können es nicht. Unter der Anspannung des Unmöglichen zerfällt die Symbolik. Die Intention der Symbolik versagt, die Identität des alleinen Wesens mit der Vielfalt der Erscheinungen herzustellen. Es bleiben die disparaten Erscheinungen stehen, die nichts verbindet. Real sind die Naturgegenstände nicht einen Wesens mit einer von ihrer Symbolik mitgesetzten Natur reiner Liebe. Weder kommt Naturgegenständen Reinheit als metaphysische Qualität zu noch der Liebe als Natur, der objektgerichteten Libido. Rein mag allenfalls die sie formierende moralische Form sein. „Der Mensch ist polymorph pervers geboren."*

Mit solcher Symbolik durchsetzt wird die erhabne Grotte zum desinfizierten Naturalienkabinett, einer nature morte der toten Bedeutungen, die erst in den Bildern der Surrealisten, die man nach dem Dalis als „nature morte vivante" bezeichnen könnte, ihre facies hippocratica ent-

---

* Der Satz stammt von Freud, zit. nach Schelsky: Soziologie der Sexualität, S. 59; vgl. in diesem Zusammenhang Freud: Das Unbehagen in der Kultur. Auf Freuds Sexualtheorie bezieht sich die vorliegende Arbeit, ohne diese Beziehung im einzelnen jeweils nachzuweisen. Unter der sie formierenden Gewalt reiner Norm verflüchtigt sich Liebe als sublimierte, oder sie lebt als eine ins Unbewußte verdrängte fort. Ihre dabei erlittenen Deformationen hat die Psychoanalyse in den Krankheitsbildern der Neurosen und Psychosen ermittelt.

deckte. Das Wesen der Naturgegenstände vermittelt sich nicht mit demjenigen der Liebe, wie es das Gespräch der Liebenden über sie leisten soll. Als Gegenstände gemeinsamer Wertschätzung besprochen, sinkt Liebe an ihnen herab zur abstrakten Einigkeit der Personen über ein Drittes. Wo sie an der symbolischen Reinheit der Gesprächsgegenstände positiv ihr reines Wesen haben soll und sich nicht mehr an ihnen als ein Anderes entfalten kann, ist sie verdünnt in die Selbstlosigkeit sympathischer Zuneigung. In dieser eigentlichen Form reiner Liebe hat Liebe ihre Idee aufgegeben.

Da nun die Liebenden von ihrer Liebe sprechen, diese aus ihrem negativen Schein herausgetreten ist und sich das Interesse von Liebe mit demjenigen der konventionalen Gebilde positiv vermitteln soll, widerruft sich Liebe: Heinrich und Natalie ergeben sich ohne Bedingung dem Spruch der Familien; von deren Entscheidung soll abhängen, ob sich ihre Liebe verwirklichen kann. „Wenn eines nein sagt, und wir es nicht überzeugen können, so wird es recht haben, und wir werden uns dann lieben, so lange wir leben, wir werden einander treu sein in dieser und jener Welt; aber wir dürfen uns dann nicht mehr sehen."[60] Wenngleich die Liebenden nach der Konstruktion all jenen bedingenden Voraussetzungen genügen, die je von bürgerlicher Sorgfalt für eine Heirat als wichtig erachtet worden sind, und die Zustimmung zum Bund erlangt wird, so bleibt doch in der Vermittlung von Liebe mit Gesellschaft, als deren Statthalterin die Familie auftritt, ein Unvermitteltes. Abstrakt setzt sich Liebe der Gesellschaft noch einmal als der bestimmenden Macht einer heteronomen Konvention gegenüber, um sich ihr zu unterwerfen, da schon die Identität beider vom Roman geleistet ist. Als unvermittelte macht sich Liebe von familiärer Genehmigung abhängig, da die Konstruktion längst zwischen den Liebenden und den Gebilden vermittelt hat. Zwischen ihrem Gehorsam und der über den Gehorsam gebietenden Norm klafft der Abgrund von Sinnlosigkeit: denn nicht hat Liebe ein Moment eigenen notwendigen Bestehens in solcher Norm, so daß sie sich ihrem Wesen nach selber aufhöbe, versagten Familien ihr, sich in den Formen von Heirat und Familiengründung zu realisieren. Statt dessen gibt Liebe sich unmittelbar selber auf. So antizipiert sie in der eigenen sich auflösenden Substanz eine heteronome Gewalt gesellschaftlicher Gebilde, bevor sie zu jenen irgend in Widerspruch getreten ist; eine Gewalt, welche allerdings Liebe, die sich nicht in die Gebilde gefunden hätte, jeweils als Unangepaßtes auszutilgen vermocht hätte. Was sich in den Erklärungen der Liebenden hierfür als Grund findet: „Ich tue es; weil ich meine Eltern liebe, und weil mir eine Freude nur als solche gilt, wenn sie auch die ihre ist."[61] – es belegt weniger, daß für Liebe das Wohlwollen der Eltern zur eigenen Natur gehört, als vielmehr, wenn dies so ist, es sich um keine mehr handelt. Wenn auch sich das Interesse von Liebe mit demjenigen der Gebilde versöhnt – so integriert doch diese Versöhnung nicht die abstrakte Unterwerfung, die als Unversöhntes in ihr fortdauert. Insofern der Roman biedermeierlichem Sichfügen die Gloriole des Glücks malen will, das aber durch die Konstruktion dem Sichfügen beigestellt wird und nicht aus diesem folgt, sinkt der Roman zur Ideologie herab. Daher widerspricht die Figur der Unterwerfung ästhetischer Logik und erklärt sich nur aus weltanschaulichem Bedürfnis des Autors, in solch intendierter ästhetischer Versöhnung die Garantie ihrer realen Möglichkeit zu haben. Andererseits läßt sich im Kunstwerk, wo es wahr ist, nicht das Sichfügen mit dem Glück wahrlich vermitteln, denn in der Bedingungslosigkeit der ausgesprochenen Unterwerfung löscht Subjektivität selber sich aus. Glück ließ sich für den Roman so wenig aus dem Sichfügen allein herleiten, wie das Sichfügen dem biedermeierlichen Kleinbürgertum zur Sicherheit verholfen hätte. Dessen Situation war um die Mitte des 19. Jahrhunderts eher eine prekäre. Es war politisch vom Adel bevormundet, von der kapitalkräftigeren Bourgeoisie ökonomisch bedroht. Schon die Größe des von den Liebenden im Roman beschlossenen Gehorsams, die doch dem Kleinbürgertum nicht mehr angehören, mochte den Umfang der Ohnmacht anzeigen, zu der real das Kleinbürgertum verurteilt war und deren Umfang nur das Maß der darin auferlegten Entsagung beschrieb.

Der Liebe Heinrichs und Nataliens, die sich verwirklicht durch die ihr identisch gesetzten, säuberlich voneinander abgetrennten Etappen normierter Bürgerlichkeit, kontrastiert die mißlungene Liebe Risachs und Mathildens. Wo jene Liebe siegte, ohne kämpfen zu müssen, ihr Sieg vorentschieden war, indem den Liebenden die Bedingungen allen Siegens a priori zuerteilt waren, da scheiterte diese Liebe an den sich ihr versagenden Bedingungen, ohne daß die Liebenden recht zum Kampfe gekommen waren. Es ist die Lebensgeschichte von Heinrichs altem Gastfreunde und der Bewohnerin des Sternenhofes, der Mutter Nataliens, die in den Roman als Erzählung Risachs eingeschaltet ist. Ihre Liebe ist die vergebliche eines armen, aber wohlgebildeten jungen Hauslehrers und der noch jungen, unmündigen Tochter aus reichem Hause. Nichts weiter mit sich bringend als ihre Liebe, kollidieren sie mit der ihnen heteronom sich entgegensetzenden Macht bürgerlicher Vernünftigkeit. Untauglich zur Familiengründung fällt ihre Liebe dem Spruch der Eltern zum Opfer, mag der Roman die beiden Liebenden als die für ihre Liebe verantwortlich Gemachten auch zu Schuldigen für deren Scheitern manipulieren. Erst im Alter begegnen sie einander wieder. Aus anderen Ehen verwitwet, beginnen sie zwar kein gemeinsames Leben mehr, aber ein nachbarliches. Es ist ihnen, die zu milden Alten verklärt sind, der Nachsommer ihres Lebens, mit dessen ruhig gleichmäßigem Abfließen sie versöhnt sind. Mit diesem späten Glück beginnt der Roman. Hermetisch ist dieses abgedichtet gegen seine andere Vergangenheit; deren mißlungenes Glück ist eingeschlossen in die referierte Binnenerzählung des Kapitels „Der Rückblick"[62]. Als stillgestellte Vergangenheit ist die Geschichte Risachs und Mathildens in den festen Rahmen eines Biedermeierbildes gebannt. In der Gegenwart des friedevollen Daseins auf dem Asper- und dem Sternenhof ist Vergangenes fast Vergessenes, hat es in ihm auch seine Spuren hinterlassen. „So leben wir in Glück und Stettigkeit gleichsam einen Nachsommer ohne vorhergegangenen Sommer."[63] Weniges nur wäre anders, wäre dem Nachsommer ein Sommer vorausgegangen. „In diesem Augenblick ertönte durch das geöffnete Fenster klar und deutlich Mathildens Stimme, die sagte: Wie die Rosen abgeblüht sind, so ist unser Glück abgeblüht. Ihr antwortete die Stimme meines Gastfreundes, welche sagte: Es ist nicht abgeblüht, es hat nur eine andere Gestalt."[64]

Was sich in dem Lebensbericht Risachs an Leid als geschichtlicher Erfahrung sedimentiert hat, setzt sich so dem utopischen Dasein der Nachsommerwelt entgegen, wenn auch die Entgegensetzungen unausgetragen in sich verharren. Doch die wenigstens der Anamnese zugeeignete andere Vergangenheit bewahrt die Utopie des versöhnten Lebens vor der Belanglosigkeit der bloßen Idylle, deren Realismus, wie ihn die manisch reproduzierte Gegenständlichkeit fingiert, nur abstrakt von der Form einer erzählten ‚Geschichte' postuliert wäre. Zugleich erscheint aber nachgetragene Vergangenheit von utopischer Gegenwart bewältigt, die sie wie geschichtliches Dasein selber hinter sich gelassen hat. Insoweit im Roman die Utopie als herrschend über die falsche Welt dargestellt ist, ist das nachsommerliche Glück Risachs und Mathildens objektiv wahrhaftiger als der bleiche Frühling der jungen Liebenden, da dem Glück

43

jener als einem nur gebrochen sich vollendenden die Male der Vergangenheit eingebrannt sind, während die Liebe Heinrichs und Nataliens selbst geschichtslos ist. Wenn immerhin an dem späten Glück ein starkes Moment von Verklärung hängt, indem die Alten versöhnt die Reste eines mißglückten ganzen Lebens abschreiten, so hält dagegen die unbeschädigte Liebe der Jungen die Idee eines ganzen Glücks fest. Allerdings vergehen die Liebenden in der Idealität, und der Roman scheitert an der konkreten Darstellung ihrer Liebe. Sie sind die nächste Generation, in die die spät erreichte Versöhnung der Alten übersetzt werden soll. Gänzlich vergreift sich der Roman in dem Anspruch, sein ästhetisches Medium zu transzendieren, indem das Leben Heinrichs und Nataliens sich über das Ende des Romans hinaus fortsetzen soll, worin scheinhafter Versöhnung reale Geltung zudiktiert wird. „Ob ich es nun in der Wissenschaft, der ich nie abtrünnig werden wollte, weit werde bringen können, ob mir Gott die Gnade geben wird, unter den Großen derselben zu sein, das weiß ich nicht; aber eines ist gewiß, das reine Familienleben, wie es Risach verlangt, ist gegründet, es wird, wie unsre Neigung und unsre Herzen verbürgen, in ungeminderter Fülle dauern, ich werde meine Habe verwalten, werde sonst noch nützen, und jedes selbst das wissenschaftliche Bestreben hat nun Einfachheit Halt und Bedeutung."[65] Doch das Scheitern des Romans ist nicht so sehr seine Schuld als auch Teil seiner Wahrheit, da er nicht setzen konnte, was geschichtlich erst zu geschehen hätte.

Jenen kurz skizzierten Gehalt, welchen der Begriff »Nachsommer« im Roman umfaßt, verfehlt eine Interpretation wie diejenige Walther Rehms, die in einer Art von Zeit- und Sprachmetaphysik aus dem inhaltlich leeren Terminus eines „Danach-Seins" den ästhetischen Gehalt des Romans zu ermitteln versucht. Rehms philosophisch aufgespreizte Sprache kommt nicht über die Dürftigkeit blanker philologischer Feststellungen hinaus wie derjenigen: „Die Gestalt des Worts Nachsommer weist auf das Überschreiten einer Höhe und Mitte und damit auch auf das unmerkliche Sinken, auf Entsagung und Verzicht. Solch geleisteter, gleichsam wesenhaft angeschauter Zustand umgreift auch das Bewußtsein innerer und äußerer Zeitlichkeit. Er gründet im Gefühl des währenden Gleitens und langsamen Wanderns der Zeit aus einer Gestalt in die andere. Als erlebte Zeit, als vergehende, vergangen erlebte, als entschwundene oder sogar vielleicht als leer erlebte Zeit trägt der Nachsommer eine besondere Farbe des Zeitempfindens. Es ist altersmäßige

Stimmung, die hier spricht. Sie hat den größeren Teil der Lebensweg-Strecke schon hinter sich gebracht. Daher darf sie zurückschauen und der Vergangenheit sich zuwenden, ohne den Blick in die Zukunft darüber zu versäumen.‘‘[66]

Philologische Sachgehalte, die einzig in allgemeinste philosophische Termini gefaßt werden, schaffen allenfalls ein Spiegelkabinett der Tautologien, aber noch nicht spekulative Erkenntnis, wie sie nur konkrete Reflexion der Sachgehalte zustande bringt. Terminologisch aufgebessert, werden die Sachgehalte verdünnt zu unbestimmten Allgemeinheiten, mag solche Interpretation den Schall der Phrasen auch für die Stimme der Pythia halten. Die Sachgehalte, je auf ihren Allgemeinbegriff gebracht, können so, als Existentialien, für Daseinsmomente ausgegeben werden. Die ästhetische Konstruktion fließt mit ihrem Gegenteil, der Realität, in einen Brei zusammen. Was dort gilt, soll auch hier gelten, als hätte es in dieser simplen Identifizierung nur Wahrheit. Ästhetisches Formgesetz und Naturgesetz werden vorkritisch und metaphysisch wieder ineins gesetzt. „Ruhe und Stille des Erdlebens, Stille des lichtdurchdrungenen Raums, der Luft, der Landschaft, des Zimmers, Stille in der Bewegung teilen sich in der leis atmenden Fülle des Daseins dem Menschen mit. Das Kunstgesetz, das Gesetz der Ruhe und Stille, das hundert Jahre zuvor von Winckelmann als seelischer Zustand sehnsüchtig erlebt und als milderndes Gesetz genau gefaßt worden war, enthüllt sich als ein aufs Künstlerische übertragenes Naturgesetz. Die Kunst wird in der Dichtung Stifters, die sich so willentlich und ganz mit dem Geist der Goethezeit und der Nachfolge des klassischen Ideals erfüllt, zur würdigsten Auslegerin der Natur. Das sanfte Gesetz geht durch beide Reiche, durch das der Kunst und durch das der Natur.‘‘[67]

In der vollendeten Entäußerung an die bestehenden Dinge, die sich nicht wieder zurücknimmt in der an ihnen arbeitenden Subjektivität der Personen, wie Hegel es wollte, sind die Liebenden gleichen Typus mit den übrigen Personen des »Nachsommers«. Dies Verschwinden der ästhetischen Subjekte ist Abdruck geschichtlicher Bewegung: des sich in seine bestehenden Verhältnisse einfügenden biedermeierlichen Kleinbürgers, dessen Kultur der Roman zugehört. Eine Soziologie des Biedermeiers ist noch nicht geschrieben. Sie wäre eins mit einer Kultursoziologie des Kleinbürgertums. Die vorliegenden Arbeiten philologischer Natur, wie diejenigen Bietaks, Kluckhohns, Hermands u. a., beschäftigen sich überwiegend mit der Deskription der Erscheinungsformen biedermeierlicher Kultur, deren

Sachgehalte als Lebensgefühl gefaßt unmittelbar mit ihrer gesellschaftlichen Bedeutung in eines gesetzt werden, die in Wahrheit ausgeklammert ist.[68] Die pauschalen Bemerkungen von Lukács in der »Zerstörung der Vernunft« sind zu undifferenziert und genügen dem Gegenstand nicht.[69] Eine oberflächliche Sammlung kleinbürgerlicher Ideologien und ökonomischer Daten bieten Stadelmann und Fischer.[70] Die Entäußerung der Personen zeichnet das gesellschaftliche Verhalten des kleinen und mittleren Bürgertums nach, das die Entfremdung zu seinen mediokren Verhältnissen aufzuheben trachtete, indem es sich in sie ergab. In der ersten Hälfte des 19. Jahrhunderts waren diese Verhältnisse in Deutschland wie in Österreich für die ökonomisch zu kurz gekommenen Teile des Bürgertums bestimmt durch Armut, ökonomische Unsicherheit überhaupt infolge der kapitalstarken Konkurrenz der Bourgeoisie, auch durch politische Bevormundung der vom Adel beherrschten Bürokratie und das Klima allbeherrschender Aussichtslosigkeit der Lage insbesondere nach dem gescheiterten Aufstand von 1848. *

Die Erfahrung der revolutionären Monate von 1848, die Greuel der Straßenkämpfe und Machtkämpfe, hatten im deutschen Kleinbürger ein Trauma ausgebildet, das jede gewaltsame Änderung der repressiven Zustände der Reaktion nach 1848 tabuierte. Sie zum Besseren verändern sollte allein ihre positive Hinnahme, die aus Schlechtem Gutes wirken wollte. Aber der Gedanke des systemimmanenten Fortschritts war bloße Projektion des Subjekts auf das Objekt der Gesellschaft, die den real erfahrenen Widerspruch zu dieser auszugleichen bestimmt war. Der bürgerliche Fortschrittsgedanke des 19. Jahrhunderts baute nicht zuletzt auf die Besserung der Menschen, von der er eine Besserung der Verhältnisse erwartete, während jene doch zugleich von dieser bedingt war. Die Erziehung der Menschen auf die unveränderten gesellschaftlichen Verhältnisse schlug für das Kleinbürgertum um in die Selbstgeißelung. ** Die in der Versagung aggressiv gewordenen Triebe verkehr-

---

* In Grillparzers Selbstbiographie findet sich eine anschauliche und kritische Schilderung der Zustände in Österreich, soweit Grillparzer mit ihnen in Berührung kam. Knappe, aber prägnante Analysen der ökonomischen Position und Ideologien des deutschen Kleinbürgertums finden sich in den Schriften Engels': Der Status quo in Deutschland; Der Anfang des Endes in Österreich; Revolution und Konterrevolution in Deutschland, S. 5–13, 29–34.

** ,,Das arme Erziehungswesen! der Sündenstuhl seit zweitausend Jahren!! Wenn man irgendwo alles vernachlässigen will, so ist es gewiß allemal das Erziehungswesen — dann muß man Revolutionen überstehen, und man muß Bürgerkriege führen, die

ten sich in die Aggression gegen das Individuum selber, das sie nicht befriedigen konnte. Der gefesselte Biedermeier, arretiert in wenig einbringendem Amt und Familie, liquidierte sich selbst, da er sich einfühlte ins aufgedrungene bloß Bestehende. Er ahndete an sich das, was die Verhältnisse an Verwirklichung von Individualität versagten, um mit ihnen in ein trübes Reine zu kommen. Der erstrebte biedermeierliche Friede war keiner; die Liquidation, die er forderte, desavouierte ihn, wie sie ihn bestimmte als Anpassung an Heteronomes. Das subjektiv sinnlose Wesen der Verhältnisse gibt der biedermeierliche Roman frei zu erkennen, da er das Ideal der Versöhnung aufzeichnen soll. Die zentralen Personen führen ein Leben des Reichtums und der Muße, mit dem private Versöhnung möglich wäre. Kraft jener Veränderung entrückt der Roman aus der Sphäre geltender Realität. Auch die Aufhebung der Personen, die real einzig mediokre Anpassung wäre, verwandelt sich in ein Anderes. Ihre Stummheit transfiguriert in den Raum, in welchem matt der Schein ganzer Liebe und ihrer Erfüllung aufleuchtet. Aber sowenig wie er die Darstellung erfüllter Liebe ist, so bewahrt er doch das Dargestellte der Personen vorm Verrat an die falsche Erfüllung. Von der Stummheit der Personen nicht widerrufen, bleibt Glück anwesend, wo es positiv abwesend ist. In der Entäußerung an die Dinge einer neu zusammengestellten Welt, da die Subjekte dekomponiert sind bis zur Identitätslosigkeit und zugleich scheinhaft ihr Eigenstes aufgehoben ist, liegt deren chimärisches Wesen wie die Grenze zu geschichtlicher Realität. Die Gültigkeit der vom Roman gestalteten Welt ist eine ästhetischer Logik. Ihr Schein wird vor der faktischen Gewalt der Geschichte zum imaginativen Schatten. Auf diesen Hintergrund der Geschichte reflektiert die Ästhetik Lukács' in der »Theorie des Romans«. ,,Das Sollen tötet das Leben, und ein aus sollendem Sein erbauter Held der Epopöe wird immer nur ein Schatten des lebenden Menschen der geschichtlichen Wirklichkeit sein; sein Schatten, aber niemals sein Urbild, und die Welt, die ihm als Erleben und Abenteuer aufgegeben ist, nur ein verdünnter Abguß des Tatsächlichen und niemals ihr Kern und ihre Essenz. Die utopische Stilisierung der Epik kann nur Distanzen schaffen, aber auch diese Distanzen bleiben die zwischen Empirie und Empirie, und der Abstand und seine Trauer und seine Hoheit verwandeln nur den Ton in einen rhetorischen und können zwar

---

tausendmal mehr kosten und unsägliches Blut und Elend herbeiführen, bis das verwahrloste Volk durch die eisernen Gründe belehrt ist, die man ihm in der Kindheit leichter durch Worte beigebracht hätte.`` Brief an Joseph Türck vom 26. April 1849.

die schönsten Früchte einer elegischen Lyrik tragen, aber niemals kann aus dem bloßen Distanzsetzen ein über das Sein hinausgehender Inhalt zum lebendigen Leben erwachen und zu selbstherrlicher Wirklichkeit werden.''[71]

Stifters Frauengestalten sind ähnlich wie diejenigen Kellers zu Chimären verklärt. Während sich aber bei Keller, wie Benjamin bemerkt hat, das seraphische mit dem fetischistischen Moment verbindet und die ,,süßen Frauenbilder'' ein Festes und Präzises besitzen, so ermangeln sie bei Stifter der sinnlichen Bestimmtheit.[72] Selbst die von ihrer äußerlichen Erscheinung berichteten Merkmale sind spärlich und schabloniert. In diesen Angaben sind Stifters Frauen zum Verwechseln ähnlich, nicht mehr als ,,Dingträger'', ,,Stimmungs- oder Gesinnungsgestelle'', wie Gundolf sie in einer zu Unrecht vergessenen Arbeit über Stifter nennt.[73] Von Natalie heißt es: ,,Sie hatte auch einen Schleier um den Hut, und hatte ihn auch zurückgeschlagen. Unter dem Hute sahen braune Locken hervor, das Antlitz war glatt und fein, sie war noch ein Mädchen. Unter der Stirne waren gleichfalls große schwarze Augen, der Mund war hold und unsäglich gütig, sie schien mir unermeßlich schön.''[74] Kaum unterscheiden sich von ihr die Töchter einer dem Asperhof benachbart wohnenden Familie. ,,Sie hatte braune Haare wie Natalie. Dieselben waren reich und waren schön um die Stirne geordnet. Die Augen waren braun groß und blickten mild. Die Wangen waren fein und ebenmäßig, und der Mund war äußerst sanft und wohlwollend. Ihre Gestalt hatte sich neben den Rosen und auf dem Spaziergange als schlank und edel, und ihre Bewegungen hatten sich als natürliche und würdevolle gezeigt. Es lag ein großer hinziehender Reiz in ihrem Wesen. Die jüngere, welche Apollonia hieß, hatte gleichfalls braune aber lichtere Haare als die Schwester. Sie waren ebenso reich und wo möglich noch schöner geordnet. Die Stirne trat klar und deutlich von ihnen ab, und unter derselben blickten zwei blaue Augen nicht so groß wie die braunen der Schwester aber noch einfacher gütevoller und treuer hervor. Diese Augen schienen von dem Vater zu kommen, der sie auch blau hatte, während die der Mutter braun waren. Die Wangen und der Mund erschienen noch feiner als bei der Schwester und die Gestalt fast unmerkbar kleiner. War ihr Benehmen minder anmutig als das der Schwester, so war es treuherziger und lieblicher.''[75]

In ihrer Leere, Emblem der reinen Liebe Nataliens, die doch als menschlich Liebende festgehalten ist, wenn auch ihr Kuß von der Zeremonie kaum sich scheidet — „sie wendete ihr Haupt herüber, und gab mit Güte ihre schönen Lippen meinem Munde, um den Kuß zu empfangen, den ich bot" — ähnelt sie sich dem Typus der Baudelaireschen „femme stérile" an. Das kritischere Ingenium Baudelaires hat in den »Fleurs du Mal«, die im gleichen Jahr wie der »Nachsommer« (1857) erschienen, das Ideal der bis zur körperlosen Reinheit sublimierten Frau gefaßt in die allegorischen Bilder der Unfruchtbaren und der Lesbischen. Sie sind ihm frei von jeder entstellten Leidenschaft, aber nur als ein unlebendig Starres:

> „Ses yeux polis sont faits des minéraux charmants,
> Et dans cette nature étrange et symbolique
> Où l'ange inviolé se mêle au sphinx antique,
>
> Où tout n'est qu'or, acier, lumière et diamants,
> Resplendit à jamais, comme un astre inutile,
> La froide majesté de la femme stérile."[76]

So werden, anders als von Stifter geplant, die Naturgegenstände der Brunnengrotte, wo die Liebenden sich zu erkennen geben, nicht in ihrer Reinheit sondern in ihrer Leblosigkeit zum wahren Symbol ihrer Liebe. Steine, Wasser und Luft sind Monumente der Sublimation des Lebendigen.

Da Liebe als unbeschädigte erscheinen soll, geheilt von den Deformationen, die sie im Gefüge bürgerlicher Gesellschaft der hochkapitalistischen Ära erlitt, ergeht im biedermeierlichen Roman der Bann über ihr leidenschaftliches Element, an dem sie doch ihre Substanz hat. Leidenschaft wird ihm zum Tabu, und so wird an dieser die sinnwidrige Gestalt gerächt, die sie unter den Anforderungen des 12- bis 16stündigen Arbeitstages und dem Zwang der Armut angenommen hatte. Gier und Gemeinheit, Stationen in der Passion der Sexualität in der bürgerlichen Gesellschaft, werden deren Moral zum Grund, Sexualität endlich selber zu widerrufen. Die Unvollständigkeit der Liebenden, der abstrakte Schein ihrer Liebe zeichnen die Male des Terrors bürgerlicher Prüderie. Als Moral des angepaßten Bürgertums forderte Prüderie im Namen des Reinen die Aufgabe der Leidenschaft als der unangepaßten Sexualtriebe. „Eure Neigung ist nicht schnell entstanden, sondern hat sich vorbereitet, du hast sie überwinden wollen, du hast nichts gesagt, du hast uns von

Natalien wenig erzählt, also ist es kein hastiges fortreißendes Verlangen, welches dich erfaßt hat, sondern eine auf dem Grunde der Hochachtung beruhende Zuneigung."[77] Anverwandeln sollten sich die Individuen, welche die Triebe noch besaßen, den Entsagung fordernden Verhältnissen, wie ihnen die Angepaßten bereits zum Opfer geworden waren, und die von der entstelltesten Gestalt der Triebe noch an das eigene Versäumte und Entzogene gemahnt wurden.

Als denkwürdiges Dokument biedermeierlichen Quietismus steht Stifters Rat an einen jungen Mann da, in welchem das Postulat der Selbstauslöschung des Subjekts sich feiert als im Namen eines höheren Schönen und Guten ergehend: „Nämlich, er soll jede Leidenschaft von was immer für einer Art, wenn solche da sind, aus seinem Herzen tilgen und dasselbe in einziger, ruhiger Liebe der Schönheit zuwenden, sie ist seiner, er ist ihrer wert, und als angeschautes Gutes ist es die höchste Liebenswürdigkeit, ist es das Beständigste und Beseligendste."[78] Schale Allgemeinheiten die sie sind, welche „ohne die Mühe scharfen und festen Denkens stimmungsvolle und unverbindliche Fernsichten zu gewähren scheinen"[79], setzen sich Schönes und Gutes dem Subjekt als abstraktes Anderes gegenüber und werden, da das Subjekt ihrer nur in der Selbstauslöschung teilhaftig werden kann, zu toten Fetischen bürgerlicher Kalokagathie. Ihr Jenseits von selbständiger Individualität, die sich ideal zu orientieren hätte nicht an abstraktem Schönen und Guten, sondern zu vermitteln allein mit derjenigen aller Menschen, wird zum Jenseits von lebendigem Sinn überhaupt. Ein nur Anderes, noch Unbestimmtes, ist auch die Liebe des Romans, in deren Negativität aber eingesammelt ist, was die Idee von Liebe unter sich begriffe und was anders wäre als deren falsches geschichtliches Dasein. Ihr Mangel an sinnlicher Konkretion ist jedoch neben der Deszendenz aus konformistischen und prüden Ideologien bürgerlicher Verblendungszusammenhänge auch Ausdruck ihrer Objektivität. Daß richtige Liebe in den Liebenden nicht Gestalt angenommen hat, ist geschichtsphilosophisches Dokument dessen, daß sie im realen Leben der Menschen noch nicht sich verwirklicht hatte. Die Schwäche ihrer Utopie ist identisch mit der bestimmenden Gewalt ihres geschichtlichen Andersseins, das ihr sinnliches Element besetzt hält. Die Utopie folgt ihrer Spur, ohne sie doch selber zeigen zu können, da Liebe noch nicht ihre Utopie ist.

Die von der gegenständlichen Oberfläche des Geschehens abgenommene Hohlform ist ein Stück vorweggenommenen Scheins, nicht die

50

geleistete Erfüllung selber. Indem der Zusammenhang des gegenständlichen Geschehens sich nicht als ein vom handelnden Subjekt durchdrungener zeigt, das Subjekt diesen sich nicht mehr zueignet, da es als unbestimmtes notwendig in die Gegenstände eingewandert ist, zieht sich Leben in die Blindheit bloß dinglicher Abläufe zusammen. Mochten jene autonomen Abläufe Stifter auch als das Walten des sanften Gesetzes erscheinen, so ist doch die auf ihr dingliches Gefüge herabgesetzte Welt im Sinne Lukács' geschichtsphilosophische Objektivation der souveränen Gewalt real verfestigter Gesellschaft, wie das zur reinen Funktion gewordene Subjekt Objektivation des ohnmächtigen, von seiner eigenen Geschichte geschlagenen Subjekts ist[80]. So wird das Subjekt der Stifterschen Utopie, das nur als ausgelöschtes zur Ruhe kommt, zum Index der gesellschaftlichen Impotenz eines Bürgertums, das, sowenig wie es als das in seine Utopie eingegangene Subjekt diese belebend zu beherrschen vermochte, sowenig im Stande war, sie geschichtlich zu realisieren.

III. DIE SOZIALE SPHÄRE

Die Utopie des »Nachsommers« ist am österreichischen Kaiserstaat des Vormärz orientiert. Ort des Geschehens ist der Haushalt eines bürgerlichen Kaufmannes in Wien, der Familie des jungen Erzählers Heinrich; die Landschaft des Alpengebietes, das er in naturwissenschaftlichem Interesse durchwandert; der im Voralpengebiet gelegene Asperhof, der Gutssitz des alten Freiherrn von Risach, auf dem Heinrich zum sittlichen und ästhetischen Menschen herangebildet wird; und der Sternenhof, welcher der Gräfin Tarona, einer alten Freundin Risachs, gehört. Heinrichs Vermählung mit deren Tochter Natalie beschließt den Roman.

Der familiäre Innenraum des großbürgerlichen Wiener Haushalts ist Produkt der bürgerlichen Gesellschaft, deren Bürgertum im Stande war, Privates und Geschäftliches zu trennen, und so eingestand, daß jenes in diesem nicht seine Erfüllung fand. So hermetisch aber der Innenraum gegen die Außenwelt der bürgerlichen Arbeit und des Erwerbs abgegrenzt erscheint, als ob drinnen ein isoliertes Glück möglich sei, das draußen versagt ist, so ist er ihr doch als der ökonomischen Basis verhaftet. Sind Innenraum und Außenwelt mithin komplementäre Momente der bürgerlichen Gesellschaft, bedeutet die Abgrenzung von dem, was draußen gehalten werden soll, daß beide friedlich zusammengeschlossen sind. Der Ausbau des Heims als Schutz gegen das, was den Bürger draußen erwartet, verweist darauf, daß sein Schutz selber fragwürdig ist. Das Heim ist nicht das richtige Leben, wenn es auch dessen Gloriole besitzt. Glorifikation eines Asyls, dient seine Muße vorab zur Wiederherstellung der Arbeitskraft. Es bekundet nicht nur Einverständnis mit der Welt, die anders ist als diejenige, die dort im Kleinen errichtet werden soll, sondern ist selbst Teil dessen, dessen Verneinung es darstellt.

Der Roman würde in der Darstellung von Heimstättenglück, wäre er nicht mehr als das, kaum über die lügnerische Behauptung eines kleinen Glücks hinausragen. Zwar scheint solches Glück die geschlossene häusliche Einrichtung inmitten der bürgerlichen Arbeitsgesellschaft zu wollen, wenn sie gleichsam durch Rolläden die Außenwelt abblendet, mag deren andersartige Realität im Roman auch eingeräumt sein; hingegen zeigt das fortschreitende Geschehen Stätten, an denen nach dem Sinn des Romans richtigeres Leben möglich ist als dort, wo die Mittel ihres Besitzes herrühren. Es sind dies die Landsitze, auf denen Heinrich zeitweilig lebt und auf die Heinrichs Familie, diesem folgend, allgemach übersiedelt.

Aber auch die Ausweitung der Szenerie von familiärer Häuslichkeit zur Landschaft und der inmitten dieser gelegenen Landsitze bewahrte die beschriebene Häuslichkeit noch nicht vor dem Preis eines falschen Glücks.

Kein Ungenügen sucht die Häuslichkeit des städtischen Bürgerhauses heim, das allein Grund sein könnte, sie aufzugeben. Allein der Vater tut dessen gelegentlich Erwähnung, der Unlust bei den Geschäften empfindet, wohin die dargestellte Welt der Häuslichkeit von vornherein nicht reicht. Sie ist vielmehr verdinglicht der Außenwelt isoliert dagegengesetzt, gibt aber, indem sie früh von Heinrich, endlich der Familie verlassen wird, die Unwahrhaftigkeit, die der Roman ironisch für diese seine Stelle eingesteht, zu erkennen, indem er sie austauscht. So bewahrt er das Romanganze vor dem Preis minderen Wohnstubenglücks, in dem die Stelle verharrt.

Doch auch andererseits wird die Unwahrheit dessen, was der Roman behauptet, hier zu sein, aufgehoben, indem das häusliche Leben der Personen als die reine Gegenständlichkeit der Handlungen beschrieben ist. Die Fassade, die bloß angibt, daß ein Bestimmtes geschieht: sei es das Betrachten von Gegenständen der Natur oder der Wohnung, die Verrichtung häuslicher Tätigkeiten oder die Beschäftigung mit wissenschaftlichen Arbeiten, der gesellige Umgang mit Menschen, entäußert das Leben an die Gegenstände, auf die es bezogen ist. Selbst das Gespräch, wenn es nicht als Rede reduziert ist auf die Darstellung reinen Sachgehaltes, weiß von Subjektivem nur als dem unterschiedenen Aspekt dessen, was besprochen wird, um sich darin als dingliche Ansicht eines Standpunkts kundzutun. Die stumme Eintracht der Personen und der Dinge zeugt von der Despotie der Idylle, die Menschen zu Spiegelungen des Inventars einer Welt setzt, welche der Idylle die richtige ist, wenn sie auch nicht enthält, was menschliches Leben umschriebe.

Jedoch, wenn die Subjektivität der Personen durch die Objekte definiert ist, mit denen die Personen im Verhältnis stehen, aber die Beschränkung auf den Umkreis des Konventionellen wie auch der Wechsel der Objekte verraten, daß die Definition nicht zureicht, dann liegt die Wahrheit dieser Identifikation doch darin, daß die Objekte anstelle von Subjektivität gegeben sind. Dem verstummenden Subjekt setzen sie sich zur aufgefundenen Heimat. Daß Subjektivität verdrängt ist aus der Darstellung dessen, was geschieht, und die Rolle eines versieht, der das Beiseite des Romans spricht, der aber notwendig ist, wenn das Ganze in verständlichem Gang gehalten und die agierenden Personen als bewußte Individuen formal gewahrt werden sollen, das läßt die gegenständliche Hülle von dem zurück, was geschieht. Diese weist in ihrer gegenständlichen Strenge auf etwas hin, was immerhin geschehen könnte, und vermag damit auch das in sich zu bergen, was niemals so geschehen kann. Draußen geblieben aus dem Geschehen, das Subjektivität voraussetzt, da sie es durch ihre Regung in Gang setzt und dem sie durch ihre Empfindung den Sinn verleiht, schützt Subjektivität den Roman, wenn sie nur noch fremder Kommentator ist, vor dem falsch realisierten Dasein der kompletten Harmonie. Sie belebt nicht das genügsame Wandern, das Beschauen landschaftlicher und künstlerischer Gegenstände oder häuslichen Inventars, das Lernen und die anderen bürgerlichen Tätigkeiten; bewahrt abwesend den Roman aber vor der Lüge der Gartenlauben-Literatur. Nicht verkündet Subjektivität, daß dies Erfüllung des Lebens sei. Der vorgeführte Aspekt des gegenständlich Wahrnehmbaren, der zwar solche Identität zwischen Personen und Objekten postuliert, unterdrückt gerade das Korrelat der Erfüllung subjektiver Regung. Das Romangeschehen ruht so auf der Wahrheit seiner bloßen Gegenständlichkeit, da seine wahrnehmbare gegenständliche Hülle als diese möglich ist und aus ihrer Äußerlichkeit das Ganze als eine Welt hypostasierten Scheines heraussetzt.

Abneigung gegen die Zwänge bürgerlich-städtischer Gesellschaft führt zum Rückzug auf Natur und Agrargesellschaft: der verbürgerlichten Feudalsphäre, welche die Ökonomie der Monarchie zur Zeit des Vormärz noch weithin prägte. Der Auszug aus der Stadt, der das Romangeschehen begründet, führt Heinrich von geographischen und geologischen Studien in die idealische Sphäre des Asperhofes und nach der Vermählung mit der jungen Gräfin Natalie endlich zur vorläufigen Niederlassung im Sternenhof. Die Familie ihrerseits zieht sich, nachdem der Vater die bürgerlichen Geschäfte aufgegeben hat, auf den Gusterhof zurück. Es ist der Auszug derjenigen, die ihn sich leisten können. Heinrich lebt von der Rente eines ererbten Vermögens; der Gusterhof wird mit dem aus bürgerlichem Handel erwirtschafteten Kapital gekauft. Der Besitz von Kapital gilt allemal als ehrbar: sei es ererbt oder aus der vom Bürger besessenen Unternehmung abgeschöpft. Sein Genuß ist legitimiert, auch wenn diesem keine Arbeit entspricht. So tendiert der Roman dazu, historische, durch Klassengegensätze angezeigte Strukturen nicht nur bürgerlicher sondern auch feudaler Gesellschaft zu rechtfertigen, als erhalte in ihr jeder das, was rechtens entweder dem Wert seiner Arbeit oder der innegehaltenen ökonomischen Position entspreche. Die historische Gesellschaft aber war nicht dieses Bild, das der Roman als seine Gegebenheit voraussetzt und das sein ideologisches Moment ist.[81]

Die Ideologie rechtmäßigen bürgerlichen Besitzes durchwaltet den Roman. Tendenziell fingiert er die Gesellschaft, in der Besitz nur wenigen zukam, als eine, in der jeder das erhalte, was ihm zustehe. Der Roman formuliert seine Ideologie in ein Sprüchlein, das die wortgewordene Rechtfertigung dafür ist, daß der junge Heinrich, sein Gut genießend, keinen bürgerlichen Beruf ergreift und sich einer freien Betätigung gemäß seinen naturwissenschaftlichen Interessen hingibt. „Gegen diesen Einwurf sagte mein Vater, der Mensch sei nicht zuerst der menschlichen Gesellschaft wegen da sondern seiner selbst willen. Und wenn jeder seiner selbst willen auf die beste Art da sei, so sei er es auch für die menschliche Gesellschaft."[82] Treuherzig versichert der Roman: „Gott lenkt es schon so, daß die Gaben gehörig verteilt sind, so daß jede Arbeit getan wird, die auf der Erde zu tun ist, und daß nicht eine Zeit eintritt, in der alle Menschen Baumeister sind."[83] Das ideologische Moment dieser Lüge zeigt sich darin, daß stellvertretend für gesellschaftliche Arbeit bürgerliche Berufe wie Kaufmann, Richter und Staatsmann genannt werden, die an der Spitze derer rangierten, die einem Bürger damals erreichbar waren. Diesem mochten sie wohl in mancher Hinsicht Befriedigung verheißen, sobald er ökonomisch von vornherein in den Stand gesetzt war, sie zu erlangen. Der ungestörte Genuß seines Besitzes zwingt nicht zur Arbeit und verstattet Heinrich die freie Betätigung. Explizit war er nur als rechtmäßig zu behaupten, wenn seine Verteidigung eine der freien Betätigung wurde, die für alle Menschen als möglich erklärt wurde. So würde individuelle Freiheit der Gesellschaft von Nutzen. Die Verteidigung individueller Freiheit mündete in die Rechtfertigung der Gesellschaft, indem dieser an sich Freiheit zugeteilt wird, wo sie doch allein Besitzenden Freiheit ermöglichte. Aber sollte Heinrichs Leben nicht im Widerspruch stehen zu den gesellschaftlichen Bedingungen und damit beide für die Utopie unrichtig werden, so war dieses Leben als gesellschaftlich mögliches und nützliches mit der Gesellschaft zu versöhnen.

Daß Profithandel und Rente Grundlage dieser bürgerlichen Existenz im Roman sind, scheint in deren relativer Ferne zur Sphäre der Produktion begründet zu sein. Als aus dem kapitalistischen Produktionsprozeß isolierte Momente scheinen sie von dessen Schuldbeflecktheit losgesprochen zu sein: Waren und Geldkapital scheinen selber produktiv. Doch das Bewußtsein, das sich an die abgestückten Teile bürgerlicher Gesellschaft heftet, um in deren scheinhafter Neutralität die eigene Unschuld zu finden, entrinnt nicht dem Schuldzusammenhang des Ganzen; als verdinglichtes zeigt es sich von dessen Gewalt geprägt, die es, an den Teil gebannt, nicht mehr erkennend durchbrechen kann.

Der utopische Wille des Romans, die richtige Welt zu begründen, in der Menschen zu ihrem Recht kommen, erfordert, diese im Auszug aus städtischer Gesellschaft zu fassen. Jedoch die Welt jenes ländlichen Nachsommers, in welche der Auszug mündet, tendiert auf die Versöhnung mit den Ordnungen dieser Welt, aus welcher der Auszug geht, wenn in ihm auch verurteilt ist, was hier die Ordnungen den Menschen an Schicksal bereiteten. Die Nachsommerwelt vermag nur dann die richtige zu sein, wenn ihr Glück kein erschlichenes, sondern redlich erworben ist. Bezahlt ist Glück und Gut in Handelskapital; seine Grundlage ist Besitz. Vorausgesetztes Privateigentum aber läßt die Nachsommerwelt mit der Einrichtung jener Welt harmonieren, in der es akkumuliert wurde. Städtische Profitgesellschaft wird genau in ihrem Recht bestätigt, obgleich immanent der Auszug aus ihr gegen das gerichtet ist, was Menschen dort ein Dasein war.

In der vorausgesetzten Rechtlichkeit der bürgerlichen Gesellschaft wird der Roman zur Utopie einer rechtmäßig besessenen Pensionopolis. Einer solchen hing der larmoyante Schulrat nach. In einem Brief an Gustav Heckenast schreibt er: „Hätte ich mein ruhiges Leben (im Winter in Wien, im Sommer in den Bergen unter Bäumen und Wolken) dürfte ich nichts anderes tun als mit Großem, Reinem, Schönem mich

beschäftigen, vormittags schreiben, nachmittags zeichnen, lesen, Wissen-
schaften nachgehen und abends mit manchem edlen Freunde oder in der
Natur oder in meinem Garten sein – aber ich darf nicht daran denken,
sonst ergrimmt der Gott im Menschen, wie J. Paul sagt."[84] Utopie und
bestehende Gesellschaft konvergieren in den sozialen Strukturen der
Pensionopolis. Der inwohnende antigesellschaftliche Impuls richtete sich
naiv allein gegen das Leid, das Menschen in der bürgerlichen Gesellschaft widerfuhr, und tangierte nicht ihre Einrichtung, die jenes
verschuldete. Die Transposition unrichtiger gesellschaftlicher Ordnungen in die Utopie verweist auf den Beamten, der den Roman geschrieben
hat. Beamtenhaft ist das Bewußtsein, dem zwar bürgerliche Gesellschaft
nicht das Glück für Individuen bereithält, aber dem sich die herrschenden Verhältnisse als fraglos gegebene darstellen. Es akzeptiert in
letzter Instanz, wie von der Soziologie Max Webers beschrieben, daß
die Welt durch ihre Einrichtungen die Individuen domestiziere, wie
es ihm auch scheinen mochte, daß in der völligen Domestikation
Leid selber ein Ende nehme.[85] Die Übel bürgerlicher Gesellschaft
werden fürs beamtenhafte Bewußtsein tendenziell zu dieser einwoh-
nenden Naturübeln, die nicht mehr ableitbar aus ihren Einrichtungen,
der Grundlage der Gesellschaft sind. Vor solchem Bewußtsein verläuft
die gehegte Utopie des richtigen Lebens zur Phantasmagorie, wird sie
auf ihre reale Geltung befragt.

Jedoch, der Roman ist vor dem bewahrt, für das er einstehen müßte,
wäre er bloß eine reaktionäre gesellschaftstheoretische Abhandlung in
der Weise des Panegyrikers des alten Bestehenden Wilhelm Heinrich
Riehl, dessen »Naturgeschichte des Volkes« im 19. Jahrhundert weite
Verbreitung fand.[86] Als Kunstwerk vermag er nur das einzulösen, was er
stumm als sein Geschehen bezeichnet. Dieses Geschehen zeichnet aber
nicht das auf, auf was seine ideologische Komponente hinweist und was
als Aufgezeichnetes zu gelten hätte, wäre der Roman eine Abhandlung.
Wenn auch die Strukturen, allerdings nicht die Realität der bürgerlichen
Gesellschaft als allemal richtige behauptet sind, so schlägt das nicht gegen den ästhetischen Gehalt des Romans. Sein Geschehen verwirklicht
nicht, was seine Ideologie voraussetzt. So entscheidet allein die Form des
Romans darüber, ob das, was in ihm gestaltet ist, wahr ist.

Doch ist dem Autor der Roman Programm möglicher Wirklichkeit.
Um dies Programm einzulösen, eilen Räsonnements dem Geschehen
hinterdrein. Sie haben das, was der Roman als sein Geschehen bezeich-

net – den Auszug aus der Sphäre bürgerlicher Arbeit und den Genuß einer heiteren Pensionopolis – als ein rechtmäßig so Geschehendes nachzuweisen. Sie holen als Aussage – so in der zitierten Rede des Vaters, wie auch in den weltanschaulichen Sprüchen des alten Risach – das ein, was die Ideologie des Geschehens voraussetzt: sie statuieren buchstäblich die Ordnungen der Gesellschaft als wesentlich richtige. Hierbei aber trifft nicht den Roman sondern seine Räsonnements, seien sie auch den Personen in den Mund gelegt, die Falschheit der Ideologie. Die Räsonnements, welche die reale Möglichkeit der Romanutopie beweisen sollen, sind schiefe weltanschauliche Bekenntnisse des Autors. Diese bleiben hineingeschoben im Text stecken, der sie, mit seiner Wahrheit, unter sich zurückgelassen hat. Diese Wahrheit ist jener unverwirklichte Schein, in dem das Geschehen für sich seine richtige Welt setzt.

Aus der dargestellten Naturszenerie der Landschaft ist Gesellschaftliches weitgehend eliminiert. So erscheinen die Landschaften Oberösterreichs und der Nordalpenkette, die leicht als diese dechiffrierbar sind, von menschlichem Leben gereinigt und stellen sich dem Wanderer Heinrich in der Gegenständlichkeit der Naturdinge dar. Kümmerliches bäuerliches Dasein, das im Vormärz durch die Grundherrschaft angezeigt war, bleibt verschwunden. * Übrig geblieben sind gesellschaftliche Rudimente: Dinge. Häuser und bebaute Felder gleichen sich den Naturgegenständen der Landschaft an, innerhalb derer sie erscheinen. Sie geben nicht mehr her, was ihnen als Bitterkeit menschlichen Lebens entsprach. So kann es mit seinen Rudimenten identisch gesetzt erscheinen.

Die Landschaft des »Nachsommers« stellt Erfahrung von Landschaft als objektive Welt des Ausgleichs dar. Sie schloß Leben, wie es war, aus,

---

* ,,The lord of an estate provided all the judicial and governmental functions with which the peasants had any dealings. ... Some of his (des Bauern) obligations to his lord, especially that of the Robot (Fronarbeit), varied with the holding's size. He was required to perform a large variety of dues and services to the lord, and in addition had to render certain dues and services to the state besides his taxes, and to the church." Nach Blum: Noble landowners and agriculture in Austria, 1815–1848. S. 89 f. – Vom durchschnittlichen bäuerlichen Einkommen mußten rund 70 % abgeführt werden. Das Einkommen selber war nicht groß, da die landwirtschaftliche Arbeit wenig mechanisiert war. Die Abgaben waren im einzelnen: Schuldenzinsen 14 %, Grundherrliche Abgaben 24 %, Kirche 6 %, Schule 0,75 %, Gemeinde 4 %, Versicherung 0,5 %, Staatssteuern 13,2 %, Staatliche Leistungen (Spanndienste u. a.) 4,25 %, Zuwendungen an untere Beamte 3 %. Nach A. Tebeldi (i. e. C. Beidtel): Die Geldangelegenheiten Österreichs, S. 217.

da es dieser zweiten Welt widersprochen hätte. Wäre Leben im Vormärz ebenso in die Welt des Romans aufgenommen worden, wie dort in subjektiver Erfahrung konstituierte Naturgegenstände als Landschaft erscheinen, wäre sie zersplittert. Aufgetaucht wäre eine andere Welt, die kein glückseliges Ruhen mehr in sich kennt. Das Ruhen wäre auf die Landschaft als sein Asyl verwiesen und nicht mehr dort möglich, wo Menschen in ihr wohnen. Aus dem ganzen Glück, das die utopische Landschaft in sich bergen will, wäre das rudimentär partielle geworden, das seine ganze Scheinheiligkeit bekennt. Die Sphäre realen gesellschaftlichen Daseins andererseits ausgeführt, aber zugleich zur Enklave gemacht, auf welche die zentralen Personen nicht bezogen sind, wäre ihr Glück ein angemaßtes, da es nicht allen gewährt.

Versagt hat sich Stifter im »Nachsommer« auch, was seine frühen Dichtungen, wie über die »Fichtau«, in der ersten Fassung der »Mappe meines Urgroßvaters« noch naiv ausmalen: Leben in der Landschaft als versöhntes anzusiedeln. Widersetzt hätte sich solch friedvollem Dasein das, was es als geschichtliches wirklich gewesen war. Die Utopie wäre zu einem Stück gemütlichen ländlichen Lebens verkommen, dessen Heuchelei sie unter die Tröster der Gartenlauben-Literatur eingereiht hätte.

Ist zwar gesellschaftliches Leben nicht ausgeführt, so sind dennoch Menschen da. Heinrich engagiert Gehilfen für seine naturwissenschaftlichen Arbeiten, die ihn auf den Wanderungen begleiten.[87] Während der Exkursionen logiert er in kleinen Gasthöfen[88] und nimmt gelegentlich Unterricht bei einem Zitherspieler.[89] In eine dörfliche Steinschleiferei gibt er Aufträge zum Schleifen von Marmorblöcken.[90] So ist utopische Landschaft als eine reale angedeutet. Ohne solche geschichtliche Konkretion, welche sich notwendig gegebener historischer Formen bedienen mußte, würde sie einer Fata Morgana ähnlich gesehen haben. Obgleich der Verweis auf Landbevölkerung in diesen Momenten gesetzt ist, so ist doch deren Dasein unterdrückt. Die Personen sind eingeschränkt auf das Tun, das unmittelbar sie zu Heinrich ins Verhältnis setzt. „Ich ging an den Ort, wo ich meine Arbeiten abgebrochen hatte. Die Leute, welche von meiner Absicht wieder zu kommen unterrichtet waren, hatten mich schon lange erwartet. ... Ich arbeitete fleißiger und tätiger als in allen früheren Zeiten, wir durchforschten die Bergwände längs ihrer Einlagerungen in die Talsohlen und in ihren verschiedenen Höhepunkten, die uns zugänglich waren, oder die wir uns durch unsere Hämmer und Meißel zugänglich machten. Wir gingen die Täler entlang, und spähten nach Spuren ihrer Zusammensetzungen, und wir begleiteten die Wasser, die in den Tiefen gingen, und untersuchten die Gebilde, welche von ihnen aus entlegenen Stellen hergetragen und immer weiter und weiter geschoben wurden."[91] Daß die Personen sind, davon gibt nur ihr Tun Kunde und der Name, der ihnen verliehen ist. Der Name ist zumeist allgemeine Bezeichnung des bestimmten Tuns, unter welche das Individuum befaßt ist. Was die Leute tun, ist nicht in seiner konkreten Mannigfaltigkeit ausgeführt, sondern nur allgemein angegeben. So verschwinden sie in den Dingen. Die Dinge setzen sie, die peripheren Personen, die mit ihnen umgehen, nur noch in ein vermitteltes Verhältnis zu den zentralen Personen. Die Dinge haben das unmittelbare Verhältnis. „Weil nach Untergang der Sonne gleich große Kühle eintrat ... so wurde Halt gemacht, und die Nachtherberge bezogen. Die Einteilung war schon gemacht worden, daß wir zu dieser Zeit in einem größeren Orte eintrafen. ... Wir gingen nun in ein Zimmer, das für uns geheizt worden war, verzehrten dort unser Abendessen, blieben noch einige Zeit in Gesprächen sitzen, und begaben uns dann in unsere Schlafgemächer. ... Kurz nach Aufgang der Sonne fuhren wir fort, und bald waren ihre milden Strahlen zu spüren."[92] Gasthöfe bergen nur noch Inventar. Menschen, die dessen Bequemlichkeit vermitteln, sind darin aufgehoben. Individuelles ist die allgemeine Bedeutung, die besagt, daß hier Wirtinnen Gäste empfangen, Zitherspiellehrer Zither spielen und Bergführer Wanderer begleiten. Es ist wieder verdinglichte Arbeit geworden, die es doch nicht sein will. Sind die Personen zu einer nicht näher bestimmten konventionellen Funktion entäußert, vermögen sie in ihrer darin gewonnenen Gegenständlichkeit mit den Gegenständen der Landschaft den Schein zusammenstimmender Ruhe zu begründen. Die Gewalt aber, die ihnen zugefügt werden muß, damit sie den rudimentären leeren Begriff ihrer selber auffüllen, bekundet in dem, was ihnen zu Individuen fehlt, die Bezirke, in denen geschichtlich keine Ruhe mehr sich herstellen konnte. Die Landwirtschaft in der Phase des frühindustriellen Kapitalismus enthielt Mühsal und Dürftigkeit, aber keine Erfüllung und daher auch nicht die Ruhe. Jene Ruhe aber, welche auch die Bürger in der angespannten Enge der Städte nicht kannten, war diejenige, der Stifter in seinem Roman nachhing. Darin verwandelte sich das Gewicht der nachhängenden Sehnsucht der Seele in das ästhetische principium stilisationis, das Individuen mit einem zufälligen, leeren Aspekt ihrer Zustände zusammenpreßte. Indem die

Utopie einen Partialaspekt des Daseins fixierte, erlosch alles andere. Der Aspekt verlief sich an neutralisierten Momenten ihrer Zustände und ließ sie darin als veränderte widerscheinen.

Die unbestimmt bleibende Funktion, welche die peripheren Personen umreißt, setzt Dasein als ein ausgesöhntes, da es widerspruchslose Einheit mit sich bildet. Weder ist die bestimmte Seite des Daseins der Personen, welche die abstrakte Funktion umreißt, konkret ausgeführt, noch sind von dieser einen Funktion unterschiedene Seiten angegeben, da die Funktion jeweils nur die notwendig bestimmte Seite gibt, in welcher die peripheren Personen zu den zentralen in einen allgemeinen Zusammenhang gesetzt sind. Funktion und Titel der Personen verbergen den realen Zusammenhang der Daseinsmomente wie unter einer Hülle. Die Wahrheit, die dem Schein ausgesöhnten Daseins durch die Funktion als seinem gegenständlichen, abhebbaren Aspekt eignet, verrät in ihrer Genese auch den Zwang, der den Personen angetan werden muß, so daß sie mit der abgeschatteten Kontur verschmelzen, die sie als ihre bestimmte Seite den zentralen Personen zukehren. Der Zwang, mit dem Dasein auf beruhigte gegenständliche Konturen zurückgeführt wird und der doch für das Kunstwerk jenen zarten Schimmer der Versöhnung erstehen läßt, korrespondiert demjenigen, der in den weltanschaulichen Thesen des Romans erkennbar ist, die für das geschichtliche Dasein das einzuholen suchen, was in ästhetisch geformtem gelang.

Wenn in diesen Thesen Sozialgeschichte als eine Art von Naturgeschichte auftritt, wo jeweils bestimmte Sozialstrukturen in der magischen Gewalt ihres Daseins natürlich gegebenen Umständen sich angleichen, in denen die Menschen sich einrichten, dann intendieren diese Thesen – wird die Einrichtung als möglich statuiert – die Menschen mit dem auszusöhnen, was sich ihnen als soziale Lebensbedingung darstellte. Nichts ist weniger gewiß als das „Das ist gewiß: wenn auch im gegenwärtigen Staatsdienste Veränderungen notwendig sein sollten, und wenn die Veränderungen in dem früher angeführten Sinne vor sich gehen werden, so hat der gegenwärtige Zustand doch in den allgemeinen Umwandlungen, denen der Staat so wie jedes menschliche Ding und die Erde selbst unterworfen ist, sein Recht, er ist ein Glied der Kette, und wird seinem Nachfolger so weichen, wie er selber aus seinem Vorläufer hervor gegangen ist."[93] Restaurativer Ideologie ist das jeweils Bestehende immer schon Recht. Die repressive Aussöhnung ist gezeichnet von der geschichtlichen Erfahrung dessen, was die französische Revolution, die ihr folgenden französischen Expansionskriege und die Revolution von 1848 auch an Tyrannei mit sich führten. Bürgerlicher Ideologie der zurückschlagenden Restaurationsepoche mochte es so scheinen, als sei innerhalb der alten Gesellschaftsverfassung, die solche Tyrannei nicht kannte, allein Sicherheit gewährleistet. * Der Schein eines rettenden Refugiums, aus dem die restaurative Ideologie sich nährte, verklärte dieses Refugium wenn auch noch nicht zum versöhnten, aber doch zu einem mit seinen Einwohnern versöhnbaren. Aber historisch nicht gedeckt war die ausgestellte Anweisung auf Versöhnung und der Schein des rettenden Refugiums, den die österreichische Monarchie für Stifter herlieh. Wenn die Monarchie auch andere schlimmere Geister bannte, war der Schein doch die Gestalt eines Spukgeistes, der nach dem Worte des jungen Marx das ancien régime als historische Komödie verspätet in Deutschland noch einmal aufführte**.

Festgehalten bleibt in den Thesen aber doch mögliche Diskrepanz zwischen demjenigen, was jeweils bestehende Verhältnisse den Menschen nur gewähren, und demjenigen, was sie suchen oder fast schon vergessen haben. „Sehr häufig aber kömmt es nun leider auf den Umstand an, daß der rechten Anlage der rechte Gegenstand zugeführt wird, was so oft nicht der Fall ist. – Könnte denn nicht die Anlage den Gegenstand suchen, und sucht sie ihn nicht auch oft? fragte Eustach. Wenn sie in großer Macht und Fülle vorhanden ist, sucht sie ihn, entgegnete mein Gastfreund, zuweilen aber geht sie in dem Suchen zu Grunde. ... Ich glaube nicht, daß ihr Zweck ganz verfehlt wird, sagte

* Eine bislang übersehene Bemerkung Friedrich Hebbels zur Revolution von 1848, die wohl die politische Einstellung breiter bürgerlicher Schichten erhellt, findet sich in dessen Selbstbiographie: „Von nun an schien mir nur die Wahl zu bleiben, ob man, unter Aufopferung der gesamten Zivilisation, das Chaos, dem dereinst eine neue Welt entsteigen könne, mit heraufbeschwören helfen oder die paralysierten früheren Gewalten auf die Gefahr hin, sie noch einmal nach wiedererlangter Kräftigung schnöde gemißbraucht zu sehen, bis zu einem gewissen Grade unterstützen wolle. Ich hielt die letztere Gefahr für geringer als viele andere, das zu bringende Kulturopfer aber für unersetzlich und handelte demgemäß. Friedrich Hebbel: Selbstbiographie für F. A. Brockhaus, S. 376.

** „Der deutsche status quo ist die offenherzige Vollendung des ancien régime, und das ancien régime ist der versteckte Mangel des modernen Staates (i. e. England und Frankreich) ... Es ist lehrreich für sie (die modernen Staaten), das ancien régime, das bei ihnen seine Tragödie erlebte, als deutschen Revenant seine Komödie spielen zu sehen. ... Das jetzige deutsche Regime dagegen, ein Anachronismus, ein flagranter Widerspruch gegen allgemein anerkannte Axiome, die zur Weltschau ausgestellte Nichtigkeit des ancien régime, bildet sich nur noch ein, an sich selbst zu glauben, und verlangt von der Welt dieselbe Einbildung." K. Marx: Einleitung zur Kritik der Hegelschen Rechtsphilosophie, S. 381 f.

mein Gastfreund, das Suchen und das, was sie in diesem Suchen fördert, und in sich und anderen erzeugt, war ihr Zweck.''[94] Für Stifter ist die Diskrepanz zwischen Individuum und Gesellschaft auflösbar. Einerseits ist die Diskrepanz ihm in der zufälligen Beschaffenheit des Individuums begründet, nicht eigentlich in der der Gesellschaft, andererseits gilt dessen Scheitern zudem selbst noch als Erfüllung. Wie bei Hegel soll nur das Allgemeine substantiell sein. So wahrt auch die eingestandene Diskrepanz die Verhältnisse als mit den Individuen versöhnbar und die Gesellschaft als substantiell richtige. Notwendig bleibt die wahre Herkunft der Diskrepanz verschwiegen. Ihre Verfolgung hätte die antinomische Struktur der bürgerlichen Gesellschaft entdeckt und die historische Notwendigkeit der Diskrepanz zutage gebracht. Sie hätte die weltanschauliche These der versöhnbaren Gesellschaft insofern selbst als Lüge erkannt, als die antinomische nicht in die als versöhnt angegebene Gesellschaft hätte übergehen können.

Fortgeschrittener Bürger, der Stifter war, hat er den Bruch erfahren zwischen dem, was auf Erden sein sollte, und dem, was nicht so ist. Ihn dekretiert das weltanschauliche Bekenntnis des Autors dennoch als aussöhnbar; zugleich aber steigt aus dem Bruch der Roman eines Nachsommers auf, in dem die ausstehende Versöhnung unternommen wird. Wie gefährdet jene Versöhnung des mittleren Ausgleichs im Roman ist, zeigen die Stellen, wo weltanschauliche Räsonnements den Roman zur Erfüllung ihrer Prophezeihung machen – als sei die gestaltete Versöhnung real geltende Wahrheit. Sie ist, als ästhetisches Gebilde, ein sich zum Sein setzendes Scheinen. Gefährdet ist die ästhetische Utopie einer versöhnten Welt auch, wo die Funktion, welche das Verhältnis der peripheren zu den zentralen Personen begründet, nicht mehr eine allgemein angegebene bleibt. Von Mal zu Mal näher ausgeführt, schicken die fungierenden Personen sich an, sich zu materialisieren. Die Funktion geht über in näher bestimmte Bezirke ihrer eigenen konkreten Mannigfaltigkeit. Dargestellt werden auch mittelbar mit ihr zusammenhängende Seiten der Personenverhältnisse. Wenn so die peripheren Personen Leben gewinnen, indem ihre allein durch unmittelbare Funktion umrissene Kontur auseinander gezogen wird, der von dieser im Dunkeln gehaltene Raum sich erhellt, vermag sich versöhntes Dasein ausgeführter darzustellen. Sichtbar wird an ihnen, was die Kontur intendierte, welche die Personen wie in einen abgeschatteten Raum in sich hineingezogen hatte. Versöhnung zerfällt in die süßliche Lüge fröhlichen Beisammenseins und freudig getaner Arbeit. Es soll Heinrichs Verhältnis zu den Gehilfen sein; doch blanke Verordnung bleibt der Bericht, wo er jenes solcherweis Gestalt werden lassen will: „Meine Führer und meine Träger gewannen auch einen Halt in der neuen Ordnung, und es wuchs ihnen ein Zutrauen zu mir. Ich bekam eine Neigung zu ihnen, die sie erwiderten, so daß sich ein fröhliches Zusammenleben immer mehr gestaltete, und die Arbeit heiter und darum auch zweckmäßig wurde."[95] Die Utopie kann schlecht Friede und Freude nur im ausgesparten Fleck der Natursphäre aufbauen, wenn sie anderswo, dort wo alle leben, nicht sind. Die in der Stummheit gegenständlichen Geschehens vollbrachte Versöhnung bewerkstelligt sich nicht in der konkreten Entfaltung versöhnten Daseins, das seine Versöhnung sich einredet. Von ihm bleibt nur die Form eines Erzählten, ohne daß es sich selber darstellte.

Die Kargheit der Stifterschen Prosa, die eher Angaben von Orten denn deren Schilderungen bietet, bewahrt auch entscheidendere Stellen der Utopie davor, in die sozialromantische Idylle abzusinken. Doch ganz entgeht die Utopie in den adeligen Landsitzen des Freiherrn von Risach und der Gräfin Tarona nicht der Verklärung des falschen Zusammenlebens der Menschen. Auf den Landsitzen, großen Gutshöfen, herrscht wie auf den wirklichen der Monarchie der Unterschied zwischen vielen Armen und wenigen Reichen, den Besitzern und den Arbeitern. Doch ist der Unterschied verdeckt, da die Utopie sich wesentlich mit den Reichen und nicht den Armen beschäftigt. Deren Dasein ist Randerscheinung, sie Randfiguren. Werden aus der Ferne Arbeiten beobachtet, und das ist die beliebte Distanz der Utopie zur Arbeit überhaupt, so sind die, die diese verrichten, als leere Namen mit ihnen schlechtweg identisch. „Wir hörten auch entfernten Donner, der sich öfter wiederholte. Wir hörten ihn bald gegen Sonnenuntergang, bald gegen Mittag, bald an Orten, die wir nicht angeben konnten. Mein Mann mußte seiner Sache sehr sicher sein; denn ich sah, daß in dem Garten Arbeiter sehr eifrig an den mehreren Ziehbrunnen zogen, um das Wasser in die durch den Garten laufenden Rinnen zu leiten, und aus diesen in die Wasserbehälter. Ich sah auch bereits Arbeiter gehen, ihre Gießkannen in den Wasserbehältern füllen, und ihren Inhalt auf die Pflanzenbeete ausstreuen. Ich war sehr begierig auf den Verlauf der Dinge, sagte aber gar nichts, und mein Begleiter schwieg auch."[96] Die Existenz der Arbeitenden erscheint notwendig bestimmt durch den im Prozeß der Arbeitsteilung angenommenen Platz. Durch diesen, nicht durch Armut oder Reichtum, erscheinen sie unterschieden von dem dirigierenden Grundbesitzer. Die widerspruchslose Einheit, zu welcher die Personen mit ihrer Arbeit zusammengetreten sind, intendiert die Versöhnung auch mit ihrem niedrigen sozialen Status, der ihnen von der Gesellschaft mit dem Platz innerhalb der Arbeitsteilung aufgezwungen ist. Dieser differente soziale Status erscheint selbst als richtiger, indem er als natürlich verknüpft gegeben ist mit der von den Personen verrichteten Arbeit, die allemal als notwendige vorausgesetzt ist. Doch wird hierüber nichts berichtet. Die Utopie erhält sich durch Schweigen schwebend über geschichtlichem Unrecht. Sie berichtet weiterhin nur von Reichen, so daß schließlich Armut und Unrecht in ihr vergessen sind. Arme bezahlen nicht länger die Reichen; die scheinen es fast schon für sich selber zu sein. Doch als Verschwindende brennen die, die da arbeiten müssen, der Utopie noch ihren Makel ein. Erst so werden sie zu erloschenen Randfiguren des Geschehens.

Aber elitäres Denken prägt schon die Räsonnements, in denen die durchs Formgesetz des Romans bedingte Identität umgeschlagen wird für des Autors weltanschauliches Bekenntnis. Der Gehorsam, den die ökonomischen Bedingungen der Gesellschaft den Individuen abnötigten, wird diesen selber als Naturanlage gutgeschrieben, die sich in der über den Individuen verhängten Arbeit erfülle. „Es ist aber immer nur eine bestimmte Zahl von solchen, deren einzelne Anlage zu einer besonderen großen Wirksamkeit ausgeprägt ist. Ihrer können nicht viele sein, und neben ihnen werden die geboren, bei denen sich eine gewisse Richtung nicht ausspricht, die das Alltägliche tun, und deren eigentümliche Anlage darin besteht, daß sie gerade keine hervorragende Anlage zu einem hervorragenden Gegenstande haben. Sie müssen in großer Menge sein, daß die Welt in ihren Angeln bleibt, daß das Stoffliche gefördert werde, und alle Wege im Betriebe sind."[97] Die gefügige Anpassung an den jeweils mit der Arbeit scheinbar als Naturzustand verknüpften sozialen Status, der aber nicht durch Arbeit sondern Besitzverhältnisse bestimmt wird, geht, sobald die solcherart angegebene gesellschaftliche Maschinerie nur lautlos arbeitet, über in den triumphalen Preis von versöhnter Gesellschaft. Doch im Triumph verschaffte sich kleinbürgerliche Schwäche vor der Maschinerie und zugleich der bohrende Zweifel an deren Richtigkeit nur ein beschwichtigendes Alibi.

Historisch mochte wirtschaftliche Arbeitsteilung die ihr verhafteten und durch Klassengegensätze gekennzeichneten sozialen Strukturen bedingen, die den Individuen in ihrer geschichtlichen Gewalt unabänderlich scheinen mußten. Der mit Lohnarbeitern wirtschaftende Grundbesitz des Vormärz beruhte, wie ein Vergleich der Lohn- und Steuertabellen zeigt, auf weitgehender Ausbeutung der Lohnarbeiter durch den Grundbesitzer. Dessen zwar nicht mehr feudal privilegierter, sondern jetzt bürgerlich garantierter Kapitalbesitz sicherte ihm eine hohe Rente aus den produzierten Erträgnissen des besessenen Betriebes. Feudaler Lebensstil auch des Bürgers bezahlte sich auf der anderen Seite mit Armut und Abhängigkeit der kleinen Bauern, der schlecht entlohnten Arbeiter und Tagelöhner.

Die in den Roman eingeschalteten Thesen bekunden endlich noch Versöhnungsbereitschaft mit schlechtem Vergangenen. Sie preisen ältere gesellschaftliche Formen, wie des patriarchalischen Feudalismus, sobald irgendein Moment in ihm jene Versöhnung zu verbürgen scheint, die Stifter in seiner Epoche ausstand, mochte er deren Gesellschaft auch für versöhnbar erklären. Die Versöhnung, die er doch finden wollte, sollte ihm nicht nur der Roman leisten. Auch in der Dämmerung des Vergehenden und Vergangenen, in der die Konturen verdunkeln, bildete er sie sich ein. Hier dürfte der letzte Grund beschlossen liegen, der die Ansiedlung des »Nachsommers« im entschwindenden vormärzlichen Österreich forderte. ,,Es ist in der Tat sehr zu bedauern, daß die alte Sitte abgekommen ist, daß der Herr des Hauses zugleich mit den Seinigen und seinem Gesinde beim Mahle sitzt. Die Dienstleute gehören auf diese Weise zu der Familie, sie dienen oft lebenslang in demselben Hause, der Herr lebt mit ihnen ein angenehmes gemeinschaftliches Leben, und weil alles, was im Staate und in der Menschlichkeit gut ist, von der Familie kömmt, so werden sie nicht bloß gute Dienstleute, die den Dienst lieben, sondern leicht auch gute Menschen, die in einfacher Frömmigkeit an dem Hause wie an einer unverrückbaren Kirche hängen, und denen der Herr ein zuverlässiger Freund ist.''[98] Versöhnt ist die Gesellschaft des patriarchalischen Feudalismus, wenn Herren und Knechte gemeinsam speisen. Groteske Parodie auf Hegels Dialektik von Herr und Knecht, die, versöhnlich zwar, doch noch zur Befreiung des letzteren führen sollte. Herrschaft des patriarchalischen Feudalismus, Erniedrigung der Beherrschten – das heißt derer, die nicht im Besitze von Privilegien waren – war nicht auszusöhnen in der Gemeinsamkeit des Essens und Trinkens. Wenn Oben und Unten bei Tische saßen, mochten sie immerhin zusammenrücken. Doch spiegelte auch noch die Tischgemeinschaft die Erniedrigung derer wieder, die schwer anders sich sattessen konnten.

Außerhalb dieser räumlichen Gemeinsamkeit dauerten die sozialen Unterschiede zwischen Dienenden und Herrschenden fort. Innerhalb dieser erhielten sie allein die unwürdige Verklärung von naturgegebenen unter Familiengliedern eines patriarchalisch kommandierten Hausstandes.

In Räsonnements dieser Art zeigt der Roman seine Verwandtschaft mit jener Sorte rückwärtsgewandter Ideologien, wie sie im 19. Jahrhundert etwa von den Theorien Wilhelm Heinrich Riehls repräsentiert wurde. Unter dem Blick der restaurativen Ideologie verwandeln sich die im Dunkel geschichtlicher Ferne liegenden älteren gesellschaftlichen Formen in Schemen, welche das geschichtliche Individuum überdecken und es mit sich zu widerspruchsfreier Einheit setzen. Stets orientierte sich der suchende Blick an isolierten Momenten, die jene Identität zu verbürgen schienen. Aber die visionäre Einheit enthielt nichts. Sie war kein Glück. Ideologie, welche die schattenhafte Gleichförmigkeit des Toten preist, ist der Tyrannei im jeweils Bestehenden näher als der richtigen Gesellschaft, auf deren am Bestehenden aufgetriebenen Schein sie schwört.

Brachte die Stadt in der Phase des Frühindustrialismus für Bürger, insbesondere Kleinbürger, räumliche Enge und drückende Arbeit mit sich, schien es bürgerlicher Ideologie, als sei Agrargesellschaft Bild der anderen, richtigen Gesellschaft. Sei es die vergangene feudale Grundherrschaft wie in den weltanschaulichen Thesen oder die verbürgerlichte Agrargesellschaft des Romans: zum Bild der richtigen Gesellschaft wurden sie erst in der Überblendung isolierter Momente auf das Ganze der anderen. In unmittelbarem Zusammenhang mit der Natur stehend, auf deren Ausbeutung sie gerichtet war, wurde agrarische Gesellschaft Teil jener Natur, die bürgerlicher Ideologie von jeher als Paradies gegolten hatte. Ihr Anderes, das Natur gegenüber gesellschaftlichem Wesen eignet, zieht die suchende Sehnsucht an sich. In der Ferne, dem Jenseits bürgerlicher Welt, verwandelt sich unter der Arbeit der Sehnsucht ihre sinnlose Fremdheit in die sinnenhafte und sinnvolle Heimat der Seele, die das Wesen der nachsommerlichen Landschaft bestimmt. Wird Natur in der ästhetisch geformten Landschaft zur Heimat, real ist sie dem Bürger nur Heilstätte für die Leiden am bürgerlichen Dasein. Für die bürgerliche Leserschaft belegten Stifters Dichtungen die imaginierte Natur. Diese Austauschung bezeichnete Walter Benjamin als das wesentliche Moment in der bürgerlichen Rezeption des Stifterschen Werks[99].

Ideologie wurde agrarische Gesellschaft, nicht nur insoweit sie von landwirtschaftlicher Arbeit bestimmt war, zu einer natürlichen, sondern auch da, wo ihre unterschiedlichen Besitzverhältnisse nicht auf natürliche Bedingungen der Arbeit zurückzuführen waren. Konservative Sozialromantik dekretiert bestehende Gesellschaftsverfassungen als natürliche, wenn die Gesellschaft allein in äußerlichem Bezug auf Gegenstände der Natur steht.

Dennoch rettet sich die Utopie an einer ihrer fragwürdigsten Stellen: den Gutshöfen, die Arbeiter kennen. Versöhnung scheint an der Kontur ihres Daseins, welche ihre Arbeit ist, und in die sie verschwunden sind. Existenz der Arbeitenden ist durch Namen und Funktion verbürgt. Indem alles das, was das versöhnte Dasein der Arbeitenden konkret gewesen wäre, von der Darstellung versagt ist, vermag sich gerade die Versöhnung als ästhetische zu retten. Die Versöhnung ist in ihrer Intentionalität gewahrt. Selber in ihren konkreten Bestandteilen beim Namen genannt, hätte sie sich verwandelt in eine Illustration zum sozialromantischen Geschichtsbegriff.

Sind einzelne der peripheren Personen wie der Gärtner und der Zeichner Eustach auf dem Asperhof zu den zentralen in ein näheres Verhältnis gehoben, so ist ihr Dasein notwendig ein bestimmteres als bei den zurückgesunkenen anderen. Dennoch setzt sich auch dieses aus Teilen wahrnehmbarer Oberfläche zusammen. Das Gesetz von deren Auswahl bestimmt das Wesen der Personen. Sie fungieren als Kommentatoren von Gewächshausanlagen und Kunstgegenständen. Wie die Handlungen selber entfaltetere sind, so ergänzt sich die Definition der Personen mit der Angabe ihrer Kleidung und dem Gestus des Sprechens. Vom Gärtner des Asperhofes heißt es: „Ich ging auch noch einmal in das Gewächshaus. ... Der weiße Gärtner gesellte sich zu mir, erläuterte mir manches, gab mir über verschiedenes Auskunft, und beantwortete bereitwillig alle meine Fragen, wie weit seine Kenntnisse und seine Übersicht es zuließen. Als ich das Gebäude verlassen wollte, sagte er mir, er wolle mir noch etwas zeigen, was der Herr mir zu zeigen vergessen habe. Er führte mich auf einen Platz, der mit Sand bedeckt war, der von allen Seiten der Sonne zugänglich, und doch durch Bäume und Gebüsche, die ihn in einer gewissen Entfernung umgaben, vor heftigen Winden geschützt war. Mitten auf dem Platze stand ein kleines gläsernes Haus, welches zum Teile in der Erde steckte. ... Als wir die einigen Stufen von der Fläche des Gartens in das Innere hinabgestiegen waren, sah ich, daß sich Pflanzen in dem Hause befanden, und zwar nur eine einzige Gattung, nämlich lauter Cactus. ...

„Der Gärtner führte mich herum, und zeigte mir die Abteilungen und Unterabteilungen, in welchen die Gewächse beisammenstanden."[100] Der Zeichner Eustach ist schon stumm auf die Kontur wie auf einen Schattenriß zurückgesunken. „Er (Risach) ging nach diesen Worten gegen den Mann, der mit dem Aussuchen der Hölzer nach dem vor ihm liegenden Plane der Tischplatte beschäftigt war, und sagte ... Der junge Mann, an den diese Worte gerichtet waren, erhob sich von seiner Arbeit, und zeigte uns ein ruhiges gefälliges Wesen. Er legte die grüne Tuchschürze ab, welche er vorgebunden hatte, und ging aus seiner Arbeitsstelle zu uns herüber. Es befand sich neben dieser Stelle in der Wand eine Glastür, hinter welcher grüne Seide in Falten gespannt war. Diese Tür öffnete er, und führte uns in ein freundliches Zimmer."[101] Das Sprechen der Personen ist aber erstarrt auf die objektivierte Rede von Sachverhalten. „Wenn man sie (die Pflanzen) länger betrachtet und länger mit ihnen umgeht, werden sie immer merkwürdiger, antwortete mein Nachbar. Die Stellung ihrer Bildungen ist so mannigfaltig, die Stacheln können zu einer wahren Zierde und zu einer Bewaffnung dienen, und die Blüten sind verwunderlich wie Märchen. In einem Monate würdet ihr sehr schöne sehen, jetzt sind sie noch zu wenig entwickelt."[102] Die Blüten sind verwunderlich, aber niemand wundert sich. In einen abgeschlossenen Sachverhalt ist Gegenständliches und darauf gerichtete Subjektivität jeweils schon zusammengetreten. Ist in also über sich redenden Personen Subjektivität einerseits Reproduktion von Sachverhalten, die andererseits durch Subjektivität zugleich begründete sind, so zeigt sich Subjektivität im bloß reproduzierten Sachverhalt als selbst zur Sache verdinglicht. Als reines Sprechen von Sachverhalten ist sie zum gestischen Ornament der Personen geworden: „Wenn der Herr alte Sachen sammelt, sagte er, so wäre es wohl auch recht, wenn er dies auch mit alten Pflanzen täte. Im Inghofe ist in dem Gewächshause ein Cereus, der stärker als ein Mannesarm samt seiner Bekleidung ist. Ich glaube es ist ein Cereus peruvianus. Sie schätzen ihn nicht so hoch, und der Herr sollte den Cereus kaufen, wenn man auch wegen seiner Länge drei Wägen aneinander binden müßte, um ihn herüber bringen zu können. Er ist gewiß schon zweihundert Jahre alt."[103] So vermag in indirekter Rede endlich das, wovon geredet wird, als erstarrter Inhalt Gegenständlichem ganz sich angleichen. Mit ihm konvergieren die Redenden. „Er zeigte mir wieder seine Pflanzen, erklärte mir, was neu erworben worden war, was sich besonders schön entwickelt habe, und was in gutem Stande geblieben sei; er erzählte mir auch, welche Verluste man erlitten habe, wie die Pflanzen im schönsten Gedeihen gewesen seien, die man verloren habe, und welchen besonderen Ursachen man ihren Verlust zuschreiben müsse."[104] Die Sphäre der Subjektivität ist kongruent mit dem Bezirk der Arbeiten, welchen die Personen funktional zugeordnet sind. Subjektivität drückt nur deren Gegenstände aus. So ist der Inhalt des Redens, in den die Subjektivität sich entäußert hat, unter den Begriff der Pflicht befaßt.

Die da in der Utopie arbeiten müssen, sind verschwunden in Arbeit und Verrichtung des Alltäglichen. Doch leutselig lockert Stifter hin und wieder den Zwang. Die Arbeitenden versammeln sich zur Geselligkeit. Diese ist jedoch weitgehend reduziert auf ihre formale Bedingung: das Beisammensein. „In ihr (der Gaststube) waren verschiedene Leute anwesend, die der Weg vorbeiführte, oder die eine kleine Erquickung und ein Gespräch suchten."[105] Was die Geselligen tun, bleibt unbestimmt. Ihre Reaktionen sind wenn nicht kollektiver so doch anonymer Natur. Was sie tun oder sagen, ist gerichtet allein an die zentralen Personen, besonders Heinrich. Und um deren Angelegenheiten geht es auch. Sie könnten ihnen gleich sein. „Alle rieten mir von meinem Unternehmen ab, es sei im Winter nicht durchzudringen, und die Kälte sei auf den Bergen so groß, daß sie kein Mensch zu ertragen vermöge. Ich widerlegte die Einwürfe vorerst dadurch, daß ich sagte, es sei eben im Winter niemand auf den Echern gewesen ... Aber man kann es sich denken, erwiderten viele. Erfahrung ist noch besser, sagte ich."[106]

Menschen wie Gegenstände beschrieben, läßt deren Dasein zu unveränderlichen Dingen versteinern. Sie sind soziales Inventar der Utopie. Identisch mit zugeordneter Funktion und Status scheint durch sie die Sozialordnung der Utopie als versöhnte. Der naturhafte Dingcharakter der Sozialordnung verwandelt diese zu einer gleichsam natürlichen Ordnung ländlicher Gesellschaft. Besitzende und Arbeitende, Arme und Reiche scheinen auf gottgewollte Weise unabänderlich voneinander geschieden. Besitz ist zur Verlängerung oder Verkürzung der Personen geworden. Abgeschnitten ist dessen Herkunft aus der Ökonomie der Gesellschaft, welche den größeren als die größere Beute begriffen hätte.

Die vom Roman in den bestehenden Strukturen versöhnte Gesellschaft ist Bedingung dafür, daß das reiche Leben der Besitzenden, welches sich als zentrales Geschehen des Romans entfaltet, nicht das unrechte Glück begüterter Weniger ist, das es wäre, zeigte es sich verknüpft mit dem, was ihm real an Armut und Beschränkung, an Nicht-Versöhntem der Besitzlosen entsprach. Es ist ein Leben der Muße, des Genusses und der selbstbestimmenden Tätigkeit, das sich auf den Landsitzen angesiedelt hat. In seinem utopischen Zentrum ist der Roman dem Wahrheitsgehalt seines Sinnes von möglichem richtigen Leben näher, als er es bei der Darstellung der Armut wäre. Armut beherbergt kein Glück, vielleicht dürftige Zufriedenheit. So hat sich im utopischen Zentrum Reichtum zusammengeballt. Es steht wie bei Proust nicht unter den heteronomen Zwängen von Arbeit oder von Armut. Dem sorglosen, doch zweckvollen Leben auf den Landsitzen nähern sich an die aus der städtischen Gesellschaft herausgetrennten Inseln der familiären Häuslichkeit Heinrichs, wie auch des erbaulichen Umgangs im aristokratischen Salon einer verwitweten Fürstin[107]. Indem der Erzähler des Romans vom Leben Heinrichs, Risachs oder Mathildens berichtet, gleitet sein Blick auch über das Leben der Armen als dessen Randzone. Der Augenblick des Überfliegens, in welchem die peripheren Personen gerade noch als zum ganzen Geschehen dazugehörend erinnert werden, läßt sie zur Identität mit ihren Zuständen zusammenfallen. Nur diese kurze Erinnerung, die doch Elimination ist, läßt sie in deren Augenblick noch einmal dazugehören. Was als Versöhnung an dem Dasein der Diener und Gehilfen, der Arbeiter und Bauern glänzt, entdeckt das Kunstwerk selber als begründet in der schlechten Identität, zu der diese real mit ihren kümmerlichen Zuständen gepreßt sind. Die ästhetische Wahrheit reflektiert die geschichtliche Unwahrheit. Die versöhnten Armen dienen dem richtigeren Dasein der Reichen als bestätigende Staffage.

An dem reichen Glück des utopischen Zentrums saugt sich die Sehnsucht fest. Verbannt ist das mindere der Armen zur peripheren Staffage. Was diesem Glück noch widerstrebt, wie die Geschichte Risachs und Mathildens, ist eingeschlossen in die entrückte Binnenerzählung; ausgeschieden ist die Sphäre bürgerlicher Geschäfte, denen Heinrichs Vater obliegt.

Doch die Konstruktion heiler Agrargesellschaft ist retrospektive Utopie der bürgerlichen Gesellschaft, findet sich nur im bürgerlichen Roman. Nur verblendetem bürgerlichen Bewußtsein konnten entfernte ländliche Zustände mit den Individuen zur Einheit zusammentreten. Denn Gerechtigkeit herrschte dort ebensowenig wie im städtischen Handel und Gewerbe der Zeit. Die Klassenunterschiede im Hochkapitalismus wurden von bürgerlichem Bewußtsein nur apologetisch widergespiegelt, wenn sie als ver-

71

söhnte der Agrargesellschaft unterstellt wurden. Das Verhältnis der Exploitation in der Agrargesellschaft war tabuiert wie der Kapitalismus der bürgerlichen Gesellschaft insgesamt. Ihm verdankte bürgerliche Kultur das Dasein, und deren Idealen wird im Zentrum der Utopie nachgestrebt. Verdrängt blieb solch ideologischem Bewußtsein das Los derer, die von den Privilegien der bürgerlichen Gesellschaft ausgeschlossen waren, so wie Landarbeiter und Bauern als geschichtlich Unterlegene von der bürgerlichen Geschichtsschreibung des deutschen Historismus nicht nur im 19. Jahrhundert vergessen worden sind. Wahrlich vergessen sind sodann Bauern und Arbeiter in dem Roman des Schulrats, der sie doch – um den Schein des Realismus zu wahren – wenigstens als periphere Personen kennen muß. Vergebens versichert das Ladenschild, das vom Autor über den Landsitzen und über ländlichem Leben insgesamt aufgehängt ist, daß die ästhetische Wahrheit, die ihre ideologische Genesis vergessen hat, noch real geltende sei: „In der Stadt kommen die Veränderungen, welche die Künste und die Gewerbe bewirkt haben, zur Erscheinung: auf dem Lande die, welche naheliegendes Bedürfnis oder Einwirken der Naturgegenstände aufeinander hervorgebracht haben. Beide vertragen sich nicht, und hat man das Erste hinter sich, so erscheint das Zweite fast wie ein Bleibendes, und dann ruht vor dem Sinne ein schönes Bestehendes, und zeigt sich dem Nachdenken ein schönes Vergangenes, das sich in menschlichen Wandlungen und in Wandlungen von Naturdingen in eine Unendlichkeit zurückzieht."[108]

Die bei ideologiekritischer Analyse des Romans zutage tretende Ideologie des Konservatismus, dem jeweils bestimmte Sozialstrukturen gegebene und damit rechtens sind, hat sich im Roman die eigene blind verfügende Erfüllung gegeben: über die ästhetische Veränderung der Sozialstruktur gesellt sich ihr das Glück der Individuen. Jenes Glück, das die Geschichte bürgerlicher Gesellschaft ihrer Ideologie vorenthielt und das Ideologie doch verlangte, sollte ihr der behauptete Sinn der Welt, der schon unerkennbar ist, nicht eingestandenerweise zur Sinnlosigkeit vergehen. Am konkreten Geschehen des Romans wiederholt sich jener objektive Übergang von der Ideologie zum erfüllenden Kunstwerk, welches doch seinen Ursprung aufhebt: rechtmäßig treten Risach und Heinrichs Familie aus redlich geführten bürgerlichen Geschäften in das verdiente Paphos des Nachsommers über[109].

Anders beschaffen ist noch die soziale Sphäre in früher entstandenen Erzählungen Stifters: in der »Brigitta« und der »Narrenburg«. Die

Sphäre ist dort nicht nur die Gesellschaft des patriarchalischen Feudalismus, sondern die Versöhnung, die nach dem Willen der Erzählungen in dieser herrscht, ist auch in gegenständlicher Manifestation dessen dargeboten, was Versöhnung im gesellschaftlichen Bereich des Lebens der Menschen ausmachen könnte. Sie ist aber als heiterer Umgang der Menschen doch nur fingierte Versöhnlichkeit[110]. Versöhnung selber wird in der »Narrenburg« als Fest begangen[111]. Das ausgemalte versöhnte Leben, welches sein Glück selber erklärt, zeigt die sozialen Sachgehalte, an welche es angebunden ist, in den Erzählungen zu deren schönen sozialen Realien umgeschrieben. Die mit Heimeligkeit und Frohsinn ausgekleidete Beschränktheit ländlicher Verhältnisse, welche in der sozialen Sphäre der Erzählungen die Fiktion der erlösten Welt ausmachen, ist die erfüllende Projektion des gesellschaftlich frustrierten provinziellen Hauslehrers in Wien. Der Topos solcher ländlichen Feudalsphäre verrät den anpassungsbereiten Konservatismus eines, der innerhalb ständisch bestimmter Gesellschaft reüssieren will. Wie die Stände vor 1848 noch nicht aufgehört hatten zu bestehen, als die Erzählungen geschrieben wurden, so besaß die Verheißung adeliger Lebensweise in ihr reale Bedeutung. Zu Phantastischem verklären sich mithin jene Manifestationen richtigen Lebens durch den Widerspruch zum historisch vorgegebenen Gehalt der einstehenden Realien. Sie verfälschen die berichtende Erzählung an solchen Stellen zum sozialromantischen Kitsch. Dagegen ist die etwas später entstandene Erzählung »Prokopus«, die auf den Stoffkreis der »Narrenburg« zurückgreift, der Wahrheit dessen näher, was für die soziale Sphäre der »Narrenburg« verunglückte. Der fugenlos gleitende Mechanismus feudaler Herrschaftsverhältnisse, der in der »Narrenburg« Versöhnung meint, ist im »Prokopus« (1. Kapitel „Am Morgen") ins Stocken geraten, wenngleich die Widersprüche, die sich auftun, an den Rand des Geschehens geschoben sind[112]. Es verschwinden die Manifestationen von Versöhnung und das Geschehen beginnt sich auf Verdinglichungen von Funktionen einzuziehen, die sich aus der Landschaft der Erzählung wölben, ohne daß die nüchterne Strenge des »Nachsommers« schon erreicht wäre. Die Funktion, in die das Leben der Personen geronnen ist, ist umrissen als von Arbeit, Alltäglichkeit und gesellschaftlicher Konvention bestimmtes Geschehnismuster. Sie bezeichnet als Hülle des Daseins der Personen die wenigen Gegenstände, auf welche das Geschehen erstarrt ist. An dieser Identität mag sich die Aura bilden, die Geborgenheit scheint.

Diese an der Gegenständlichkeit der Funktionen scheinende Aura bemißt neben den ins Größere und Reichere gehenden Verhältnissen den Abstand, der auch den »Nachsommer« von den erhaltenen Bruchstücken seiner Erstfassungen trennt. Die in diesen konservierte Erzählung ist zur Idylle verklärt. „Wir fuhren in derselben (Zeit) wirklich einmal zu Magdalena (im »Nachsommer« Mathilde). Sie wohnt eine Tagereise weit von meinem Freunde jenseits der Luntgebirge in einem schönen Hause, das am Ende eines Gartens und mitten in den dazu gehörigen Feldern und Wiesen liegt. Wir waren in einem gemieteten Fuhrwerke ... durch die Täler der Luntberge gefahren, bis wir jenseits derselben schon ziemlich spät gegen Abend das freundliche Haus uns entgegen lachen sahen. Magdalena und mein Gastfreund können also beide auf dieselben blauen Höhen der Luntgebirge sehen, nur er auf der einen Seite, sie auf der andern. Wir wurden mit Freuden aufgenommen, und in unsere bereit stehenden Zimmer geführt, da das Haus deren genug aufzuweisen hat. Katharina (die Haushälterin), die wir dem Wunsche Magdalenas gemäß mitgenommen hatten, ging noch an demselben Abende durch alle Räume der Wirtschaftsgebäude herum. Wir blieben drei Tage auf diesem Besizthume und man zeigte mir während derselben alles und jedes. ... Mit ihren gutmütigen Leibpferden ließ uns Magdalena in das Rosenhäuschen zurück führen. Um die nehmliche Secunde kamen wir dort an, wie sie, da sie uns besucht hatte; ein Beweis, wie gut die Pferde den Weg kannten."[113] Die idyllische Sprache verwandelt das berichtete Geschehen, indem aus diesem attributive Prädikate gleich Fahnen herausgehängt werden, die verkünden, daß bei diesem Heimeligkeit sei, in eine Manifestation wohliger Versöhnlichkeit. Zur niedlichen Idylle ist Versöhnung im beschaulichen Leben des „alten Hofmeisters" in Wahrheit verkümmert. Preis des beschränkten Kleinen als des Ganzen ähnelt die Idylle der Puppenküche, die entstände, würde die phantastische Welt von Jean Pauls Schulmeisterlein Wuz aus ihren Bausteinen als reale rekonstruiert werden *.

Gereinigt erscheint im »Nachsommer« bürgerliche Gesellschaft als Utopie; getilgt sind aus ihr Not und Gemeinheit, welche die reale durchwalteten. Die Individuen ruhen in ihren Verhältnissen als den Formen einer wiederhergestellten heilen Welt. Diese baut sich auf aus notwendigen und schönen Dingen, in denen das Dasein der Individuen konstituiert ist. Es sind Gegenstände der Arbeit und der Kunst, des Interieurs

---

* Stilistische Adaptionen Jean Pauls finden sich in den früheren Erzählungen häufig; vgl. auch den Brief vom 16. Aug. 1832.

und der Natur. Ihnen verwandeln die Individuen sich an, indem sie mit ihnen umgehen, und in ihnen schmiegen sie sich in den sozialen Status, der jeweils den Dingen als gesellschaftliche Form verhaftet ist. Doch in der aufs neue versöhnten Welt wird die Schuld der bürgerlichen Gesellschaft nicht beglichen. Auch in ihrer Utopie waltet deren Ökonomie; auch die Nachsommerwelt kennt Arme und Reiche, abhängig Besitzlose und herrschend Besitzende. Ihr geschichtliches Pendant hatte Elend und Verworfenheit zum Inhalt. Aber in der Stummheit des Geschehens scheint das Urteil der Schuld über die Utopie schwebend außer Kraft gesetzt. Niederfährt das Urteil erst, wenn das moralische Räsonnement des Erzählers die vom Geschehen gesetzte Versöhnung als wirkliche zu bergen versucht.

Listig und wahr in einem hat sich in der Utopie bürgerlicher Gesellschaft deren Vernunft durchgesetzt, die das Glück reichen Lebens als der Utopie zentrales Geschehen beschreibt und sie darin vor dem falschen Glück der armen Beschränktheit bewahrt. Je höher dieses zentrale Glück erstrahlt, desto rascher beginnt sein Gegenteil zu verblassen. Aber nicht als trauernde Schatten umstehen es an der Peripherie die ferneren Personen, die auf es nur im Geschehniszusammenhang bezogen sind. Vielmehr trifft sie der Abglanz dieses Glücks, den sie Monden gleich, innerlich erstorben, verbreiten. Denn in der Elimination auf die blaß widerscheinende Staffage hat sich ihr Dasein verkürzt auf den Aspekt, der ihnen zufällig durch den Bezug aufs Zentrum zuteil wird. Vergessen ist der Geschichtszusammenhang. Die in der Aura des Geschehens erlangte Versöhnung schiebt den geschichtlichen Schuldspruch auf. Aus der Aufschiebung zieht diese Welt die ganze Süße, wie die Seele sie durchdringt als das unrettbar verlorne Paradies. Die Aura, in der das Kunstwerk so gefährdet lebt und in der sein Berichtetes bewahrt ist, hält nicht dem Blick stand, der von ihr geschichtliche Möglichkeit verlangt. Unter dem zweckhaften Blick verfärbt sie sich in die gemalte Gloriole einer unheiligen Welt. Ursprung des Kunstwerks ist der Abgrund der Geschichte, in den es wieder zurückstürzt, wird ihm geschichtliche Wirklichkeit vindiziert. Traditionelle Stifter-Philologie hat es versucht, indem sie nicht nur diesen Roman an seinen Realien als Realitätskernen wieder in Realität zu überführen strebte, um das Refugium zu ernten, das auch Stifter aus dem Roman herausspiegelte[114]. Die Philologie verfiel der Banausie und depravierte ihre Objekte zu historischen Lügen, mochte sie sich auch bei ihrem Verfahren auf Hinweise des Autors beziehen, die doch wie die Philologie hinter den objektiven Gehalt des Kunstwerks zurückgefallen sind.

Das Stilgesetz des realistischen Romans im 19. Jahrhundert begreift Theodor Adorno unter den Terminus der epischen Naivetät: Blind ist das im Epos berichtete Geschehen begrenzt auf das unmittelbar daseiende Konkrete, seine nackte Gegenständlichkeit; abgeschnitten sind die Vermittlungen, die es als Teil des gesamtgesellschaftlichen Prozesses begründen und auf die Totalität seiner Bedingungen beziehen. Das partielle Geschehen setzt sich darin zur Welt eigenen Rechts und gleicht sich dem nicht von einem Andern ableitbaren Naturzustand an[115].

Die Klarheit des gegenständlichen Berichtes von dem, was jeweils geschieht, bezeichnet zugleich durch die Isolation vom Ganzen das Unerklärliche des Geschehens. Diese Unerklärlichkeit sinterte kleinbürgerlichem Bewußtsein zum Schicksalsbegriff zusammen; und kleinbürgerlich dachte nicht nur Stifter, sondern auch Keller und Raabe. Würden ihre Romane ob ihres blinden Berichtens, das nur die Logik seines vorfindlichen Gegenstandes kennt, unter die naiven künstlerischen Produktionen zu rechnen sein, dann wäre Stifters »Nachsommer«, der vermittelst dieser Blindheit seiner Welt einen schönen Schein verleiht, der naivste hierunter. Seine Restauration der geschichtlichen Formen wird zur Schönheit, indem der diesen zugehörende geschichtliche Inhalt ausgetauscht ist, als sei er verirrter fremder. Die Wahrheit der ästhetischen Restauration zehrt von der Wahrheit der neutralisierten Gegenstände, die der Erzählaspekt liefert. Der Dingkult, jenes für Stifter typische Stilmittel, in dem er unermüdlich und getreu ausgewählte Gegenstände nachbildet, vermag, indem er Besitz von ihnen ergreift, den Roman in den Besitz der versöhnten Welt zu setzen. An den Gegenständen bildet der Roman sich als Topographie des utopischen Reiches aus.

Entäußert an die ausgesparten Gegenstände, die die Funktion bezeichnen, unter die sie subsumiert sind, erscheinen die Individuen erlöst aus dem Widerspruch zu ihnen, der die reale Welt bestimmte. Wo sie sich an den Dingen aufgeben und zu verstummen beginnen, da sie noch reden, diese Reden aber nicht mehr die ihren sind, sondern die Sprache der reproduzierten Dinge – da heben die Dinge an zu singen. Die Süßigkeit des erweckten Liedes ist diejenige der Erfüllung, welche die Welt des Romans mit ihren Dingen bereithält. Das Singen, dessen Melodie aus dem wortlosen Einklang des Geschehens auftaucht, kennzeichnet den äußersten Punkt des Stifterschen Konservatismus. Vergeblich beruft gegen diesen jüngste Stifter-Forschung sich auf Stifters liberale pädagogische Pläne[116]. Begrenzt auf die Heranbildung der Subjekte war Stifters Pädagogik leere philanthropische Idee *. Eine sittliche Bildung, die adjustiert an die bestehende Gesellschaftsverfassung gedacht war und die Befolgung von deren Erfordernissen anerziehen wollte, mochte zwar sittlicheres Verhalten der Subjekte bezwecken, jedoch stellte sich hierdurch nicht Sittlichkeit selber her: sie wurde nur der Moralität der jeweiligen Verhältnisse gleich. Versagt mußte Stifters pädagogischer Idee die Realisierung bleiben, da sie – für des Urhebers politische Vorstellungen charakteristisch – durch den starr in ihr verharrenden sozialpolitischen Konservatismus entleert und zudem ihres objektiven Sinnes als auf Humanität gerichtete beraubt wurde. Die ausgeschlossene gesellschaftliche Veränderung schloß die subjektive Veränderung der Individuen aus.

Was der Konservatismus des »Nachsommers« wollte, bemißt sich ganz erst an der Melodie, die der junge Marx den versteinerten Verhältnissen der Epoche vorzusingen gedachte. Zum auflösenden Tanz sollte des Kritikers Melodie die Welt zwingen, indem sie ihr vorsingen wollte, was die Menschen in ihren Verhältnissen an menschenwürdigem Leben versäumt hatten. Die revolutionäre Melodie sollte nicht das Stiftersche Singen der Dinge, sondern der Schrei der ihnen unterlegenen Menschen sein **.

----

* vgl. die Aufsätze Stifters zur Schule, besonders diejenigen, die von Juli bis November 1849 in der Zs. ›Der Wiener Bote‹ erschienen sind. Wichtig ist auch der Brief vom 6. März 1849 an den Verleger Heckenast, in dem sich ausgesprochen findet, wie die Erfahrung der Wiener Revolution bei Stifter in einen pädagogischen Impuls umgesetzt wurde, in dem aber doch zugleich der Verzicht auf die Möglichkeit realer geschichtlicher Veränderung sich ausdrückte.

** ,,Es handelt sich darum, den Deutschen keinen Augenblick der Selbsttäuschung und Resignation zu gönnen. Man muß den wirklichen Druck noch drückender machen, indem man ihm das Bewußtsein des Drucks hinzufügt, die Schmach noch schmachvoller, indem man sie publiziert. Man muß jede Sphäre der deutschen Gesellschaft als die partie honteuse der deutschen Gesellschaft schildern, man muß diese versteinerten Verhältnisse dadurch zum Tanzen zwingen, daß man ihnen ihre eigene Melodie vorsingt.‘‘ K. Marx: Einleitung zur Kritik der Hegelschen Rechtsphilosophie, S. 381.

LITERATURNACHWEISE

Erst- uud Gesamtausgaben:
Der Nachsommer. Eine Erzählung von Adalbert Stifter. Bd 1–3. Pest: Heckenast
1857. (Erstausgabe.)
Adalbert Stifters sämmtliche Werke. Hrsg. v. August Sauer u.a. Prag: J.G. Calve
1904ff., seit 1918 Reichenberg i.B.: Sudetendeutscher Verlag Fr. Kraus. Bd 6–8:
Der Nachsommer.(= Bibliothek dt. Schriftsteller aus Böhmen, Mähren u. Schle-
sien. Bd 31–33.) 1921, 1916, 1920.
Zitiert wurde nach folgenden Stifter-Ausgaben:
Der Nachsommer. Hrsg. v. Max Stefl. Augsburg: Adam Kraft Verlag 1954.
Studien, 2 Bde. Hrsg. v. Max Stefl. Ebda 1955/56.
Bunte Steine. Späte Erzählungen. Hrsg. v. Max Stefl. Ebda 1960.
Erzählungen in der Urfassung, 3 Bde. Hrsg. v. Max Stefl. Ebda 1950/52.
Die zitierten Briefe finden sich in den »Sämmtlichen Werken« (SW) an folgenden Orten:
16. August 1832, Nr 10, SW Bd 17, Briefwechsel Bd 1.
8. September 1848, Nr 143, SW Bd 17, BW Bd 1.
26. April 1849, Nr 158, SW Bd 18, BW Bd 2.
20. Dezember 1852, Nr 248, SW Bd 18, BW Bd 2.
13. Mai 1854, Nr 286, SW Bd 18, BW Bd 2.
11. Februar 1858, Nr 367, SW Bd 19, BW Bd 3.

ADORNO, Theodor W.: Über epische Naivetät. In: Th.W.A., Noten zur Literatur (I).
(Bibliothek Suhrkamp. 47.) Frankfurt: Suhrkamp 1958, S. 50–60.
ARNOLD, Ludwig: Stifters »Nachsommer« als Bildungsroman. ›Vergleich mit Goethes
»Wilhelm Meister« und Kellers »Grünem Heinrich«.‹ (Giessener Beiträge zur dt.
Philologie. 65.) Giessen: von Münchow 1938.
AUGUSTIN, Hermann: Goethes und Stifters Nausikaa-Tragödie. Über die Urphänomene.
Basel: B. Schwabe & Co. 1941.
BAUDELAIRE, Charles: Avec ses vêtements... In: Ch. B., Les Fleurs du Mal. 1857;
Paris: Louis Conrad 1931, No XXVIII. –
BENJAMIN, Walter: Schriften, 2 Bde. Hrsg. v. Th. W. u. Gr. Adorno. Frankfurt: Suhr-
kamp 1955.
BERTRAM, Ernst: Nietzsche. Versuch einer Mythologie. Berlin: G. Bondi 1918, [2]1919,
[4]1921, [6]1922, [7]1929.

Bewohner Wiens. Verhältnisse der handarbeitenden Bevölkerung in Wien. In: Ztschr. d. Vereins für dt. Statistik II, 1848. (Ohne Verfasser.)

BIBL, Viktor: Die niederösterreichischen Stände im Vormärz. Ein Beitrag zur Vorgeschichte der Revolution des Jahres 1848. Wien: Gerlach & Wiedling 1911.

BIETAK, Wilhelm: Das Lebensgefühl des „Biedermeier" in der österreichischen Dichtung. Wien: Wilh. Braumüller 1931.

BLACKALL, Eric A.: Adalbert Stifter. A critical study. Cambridge: Cambridge University Press 1948.

BLASCHEK, Hannelore: Philosophische Untersuchung des Entwicklungsbegriffes in Adalbert Stifters »Nachsommer«. Diss. Innsbruck 1957. (Masch.)

BLOCH, Ernst: Freiheit und Ordnung. Abriß der Sozial-Utopien. New York: Aurora-Verlag 1946; Berlin: Aufbau-Verlag 1947. – Auch in: E.Bl., Das Prinzip Hoffnung, Bd 1. Berlin: Aufbau-Verlag 1954, ²1960, S. 32–194; Parallelausgabe, 2 Bde, bei Suhrkamp, Frankfurt a.M. 1959. Bd I, S. 547–729.

BLUM, Jerome: Noble landowners and agriculture in Austria, 1815–1848. A study in the origins of peasant emancipation of 1848. (Studies in Historical and Political Science. Vol. LXV.) Baltimore/Mar./USA: The Johns Hopkins University Press 1947.

BRAUN, Felix: Das musische Land. Versuche über Österreichs Landschaft u. Dichtung. Innsbruck: Österreich. Verl.-Anst. 1952, S. 97–145: Adalbert Stifter; S. 147–156: Betrachtungen über den »Nachsommer«.

EBS (d.i. Elisabeth BROCK-SULZER): Das Kapitel »Die Mitteilung« aus dem »Nachsommer«. In: Trivium. Jg 2, 1944, H. 2, S. 155–156.

CABET, Étienne: Voyage en Icarie. Paris: J. Mallet 1842;

ENGELS, Friedrich: Der Status quo in Deutschland (1847). In: Karl Marx/Friedrich Engels: Werke. Berlin: J.H.W. Dietz. Bd 4, 1959, S. 40–57.

DERS.: Der Anfang des Endes in Österreich (1848). In: Ebda, S. 504–510.

DERS.: Revolution und Konterrevolution in Deutschland (1851/52). In: Ebda, Bd 8, 1960, S. 3–108.

ENZINGER, Moriz: Adalbert Stifters Studienjahre, 1818–1830. Innsbruck: Österr.Verl.-Anst. 1950.

ESSL, Karl: Einführung in: Ad. Stifter, Der Nachsommer. (Bücher der Deutschen. 52.) Reichenberg i.B.: Gebr. Stiepel 1929.

FICHTE, Johann Gottlieb: Der geschloßne Handelsstaat. Ein philosophischer Entwurf als Anhang zur Rechtslehre u. Probe einer künftig zu liefernden Politik. Tübingen: Cotta 1800. – (Philosoph.Bibl. 129 d = Fichte:Werke, hrsg. v. Fritz Medicus, Bd 3.) Leipzig: F. Meiner 1922, ²1943; Neudruck 1962.

FISCHER, Kurt Gerhard: Adalbert Stifter. Psycholog. Beiträge zur Biographie. In: Vierteljahrsschrift des Adalbert Stifter Instituts des Landes Oberösterreich in Linz. Jg 10, 1961, Folge 1/2.

FOURIER, Charles: Traité de l'association domestique – agricole. Paris: Bossange 1822.

DERS.: Le Nouveau monde industriel et sociétaire. Ebda 1829.

FREUD, Sigmund: Das Unbehagen in der Kultur. Wien: Internation. Psychoanalyt. Verlag 1930. – Auch in: S. Fr., Ges. Werke, Bd XIV. London: Imago Publ. 1948, S. 419 bis 506; Frankfurt: S. Fischer Verlag ²1955.

FUERST, Norbert: Three German novels of education. II: Stifters »Nachsommer«. In: Monatshefte für deutsche Sprache und Literatur. University of Wisconsin. Nr. 7, 1946.

GISI, Paul: Adalbert Stifter und die bildende Kraft der Bescheidung in der Pflege des Seienden. Diss. Zürich 1958. (Masch.)

GLÜCK, Franz: Der alte Hofmeister von Adalbert Stifter. In: Corona. Jg 9, H. 5, 1940, 494–506.

GODDE, Edmund: Stifters »Nachsommer« und der »Heinrich von Ofterdingen«. Untersuchungen zur Frage der dichtungsgeschichtl. Heimat des »Nachsommers«. Diss. Bonn 1960.

GRILLPARZER, Franz: Selbstbiographie (1836). In: Fr. Gr., Sämtl. Werke, Histor.-krit. Ausg., Abt. I, Bd 16: Prosaschriften Bd 4; in allen Grillparzer-Ausgaben enthalten, zuletzt in: Fr. Gr., Ges. Werke, Bd 4. München: Hanser-Verlag ²1965 (in Vorbereitung).

VON GROLMAN, Adolf: Adalbert Stifters Romane. (DVjs., Buchreihe Bd 7.) Halle: M. Niemeyer 1926.

GUNDOLF, Friedrich: Adalbert Stifter. Burg Giebichenstein: Werkstätten der Stadt Halle 1931.

HEBBEL, Friedrich: Selbstbiographie für F. A. Brockhaus, 1852. In: Fr. H., Sämtl. Werke, Histor.-krit. Ausg., Abt. I, Bd 12; in den meisten Hebbel-Ausgaben enthalten, zuletzt in: Fr. H., Werke, Bd 2. München: Hanser-Verlag 1952.

HEGEL, Georg Wilhelm Friedrich: Wissenschaft der Logik, 2 Bde (1812/16). Hrsg. v. Georg Lasson. (Philos. Bibl. 56,57 = Hegel: Sämtl. Werke, Bd 3, 4.) Leipzig: F. Meiner 1923, ²1934, ³1948, ⁴1951; Neudruck. Hamburg: Meiner 1963.

HEIN, Alois Raimund: Adalbert Stifter. Sein Leben und sein Werk. Prag: J. G. Calve 1904.

HELBLING, Carl: Adalbert Stifter. St. Gallen: Tschudy Verlag 1943.

HERMAND, Jost: Die literarische Formenwelt des Biedermeiers. (Beiträge zur dt. Philologie. 27.) Giessen: Schmitz 1958.

HESELHAUS, Clemens: Wiederherstellung. Restauratio-Restitutio-Regeneratio. In:DVjs. Jg 25, 1951, H. 1, S. 54–81.

VON HOFMANNSTHAL, Hugo: Nachwort zu: Ad. Stifter, Nachsommer. (In d. Sammlung: Epikon.) Leipzig: P. List Verlag 1925; auch in: HvH, Ges. Werke in Einzelausgaben, Bd: Prosa IV, S. 207–217, u. in: Ausgew. Werke, Bd 2, S. 689–696, beide Ausgaben: S. Fischer Verlag, Frankfurt 1955 u. 1957.

HOFMILLER, Josef: Letzte Versuche. Hrsg. v. Hulda Hofmiller. (Schriften der Corona. VII.) München: R. Oldenbourg 1934; 2. Aufl. München; Nymphenburger Verlagshandlung 1952, S. 7–28 resp. S. 7–24.

HOHENSTEIN, Lilly: Adalbert Stifter. Lebensgeschichte eines Überwinders. Bonn: Athenäum-Verlag 1952.

HOHOFF, Curt: Adalbert Stifter. Seine dichterischen Mittel u. die Prosa des 19. Jhs. Düsseldorf: Schwann 1949.

HÜLLER, Franz: Einführung in: Ad. Stifter, Der Nachsommer. In: Ad. St., Sämmtl. Werke, Bd 6. Prag: Verlag der Gesellschaft zur Förderung dt. Wissenschaft, Kunst u. Literatur in Böhmen 1921.

JANCKE, Oskar: Kunst und Reichtum deutscher Prosa. Von Lessing bis Nietzsche, ausgew. u. gedeutet. München: Piper & Co. 1942; 2., erweit. Ausg. Ebda 1954, S. 304 bis 311 resp. 295–304: Nachwort zu einer Textauswahl aus »Nachsommer«.

KLUCKHOHN, Paul: Biedermeier als literarische Epochenbezeichnung. In: DVjs. Jg 13, 1935, H. 1, S. 1–43.

KOSCH, Wilhelm: Adalbert Stifter als Mensch, Künstler, Dichter und Erzieher. Mit e. Bibliographie v. W. K. u. Max Stefl. Regensburg: Jos. Habbel 1952.

KÜHN, Julius: Die Kunst Adalbert Stifters. (Neue dt. Forschungen. 282.) Berlin: Junker u. Dünnhaupt 1940.

LUDWIG, Marianne: Stifter als Realist. Untersuchung über die Gegenständlichkeit im »Beschriebenen Tännling«. (Basler Studien zur dt. Sprache u. Literatur. 7.) Basel: B. Schwabe & Co. 1948.

80

LUKÁCS, Georg: Die Theorie des Romans. Ein geschichtsphilosoph. Versuch über die Formen der großen Epik. Berlin: P. Cassirer 1920; 2., um e. Vorw. verm. Aufl. Neuwied: H. Luchterhand 1963.

DERS.: Die Zerstörung der Vernunft. Der Weg des Irrationalismus von Schelling zu Hitler. Berlin: Aufbau-Verlag 1954. ²1955; auch in: G.L., Ges. Werke, Bd 9. Neuwied: H. Luchterhand 1962.

DERS.: Der historische Roman. Berlin: Aufbau-Verlag 1955.

LUNDING, Erik: Adalbert Stifter. Mit e. Anhang über Kierkegaard u. die existentielle Literaturwissenschaft. (Studien zur Kunst u. Erziehung. 1.) Kopenhagen: Nyt Nordisk Forlag 1946.

MANNHEIM, Karl: Ideologie und Utopie. (Ideology and Utopy. 1937) Aus d. Engl. 3. Aufl. Frankfurt: Schulte-Bulmke 1952; Kap. »Die liberal-humanitäre Idee«, S. 191–199.

MARX, Karl: Einleitung zur Kritik der Hegelschen Rechtsphilosophie, (1843/44). In: Karl Marx / Friedrich Engels: Werke. Berlin: J.H.W. Dietz. Bd 1, 1956, S. 378–391.

MATZKE, Frank: Die Landschaft in der Dichtung Adalbert Stifters. (Schriften der Stifter-Gemeinde. 2.) Eger/Kassel: Johs Stauda 1932.

MAYER, Hans: Von Lessing bis Thomas Mann. Wandlungen der bürgerl. Literatur in Deutschland. Pfullingen: Neske 1959.

MELL, Max: Adalbert Stifter. (Insel-Bücherei. 539.) Leipzig: Insel-Verlag 1939, ²1941.

MÜLLER, Adam: Die Elemente der Staatskunst (1809), 2 Bde. Jena: G. Fischer 1922; Nachträge dazu. Ebda 1926.

MÜLLER, Günther: Stifter, der Dichter der Spätromantik. In: Jahrbuch des Verbandes d. Vereine kathol. Akademiker 1924, S. 43–45. 55–65.

MÜLLER, Joachim: Stifter und das 19. Jh. (Jahresgabe der Literar. Ad. Stifter-Gesellschaft 1931.) Eger/Kassel: Johs Stauda 1931.

DERS.: Adalbert Stifter. Weltbild u. Dichtung. Halle: M. Niemeyer 1956.

NEUNLINGER, J.: Adalbert Stifters Roman »Der Nachsommer« geographisch betrachtet. In: Alpengeograph. Studien. Innsbruck 1950, S. 205–210.

NOVOTNY, Fritz: Adalbert Stifter als Maler. Wien: Schroll & Co. 1941; 2., veränd. Aufl. Ebda 1941; 3., erweit. Aufl. Ebda 1948.

OBERLE, Werner: Der adelige Mensch in der Dichtung. Eichendorff, Gotthelf, Stifter, Fontane. (Basler Studien zur dt. Sprache u. Literatur. 10.) Basel: B. Schwabe & Co. 1950.

OWEN, Robert: The Social System. London: 1820.

DERS.: The Book of the New Moral World. London: E. Wilson 1836.

PANNWITZ, Rudolf: Stifters »Nachsommer«. In: Österr. Rundschau. Bd 58, 1919, H. 4, S. 162–176.

PAULSEN, Wolfgang: Adalbert Stifter und »Der Nachsommer«. In: Corona. Studies in Celebration of the 80th Birthday of Samuel Singer. Durham: Duke University Press 1941, S. 228–251.

POUZAR, Otto: Ideen und Probleme in Adalbert Stifters Dichtungen. (Prager Dt. Studien. 43.) Reichenberg i.B.: Sudetendt. Verlag Fr. Kraus 1928.

REHM, Walther: Nachsommer. Zur Deutung von Stifters Dichtung. (Überlieferung u. Auftrag. 7.) Bern/München: A. Francke 1951.

REIFENBERG, Benno: Der Nachsommer. Der grüne Heinrich. Ein Tagebuch u. e. Vortrag. (Vorträge u. Schriften des Freien Dt. Hochstiftes. 14.) Wiesbaden: Dieterich 1951. – Der Nachsommer auch in: B.R., Lichte Schatten. Frankfurt: Societäts-Verlag 1953, S. 147–167.

RIEHL, Wilhelm Heinrich: Die Naturgeschichte des Volkes als Grundlage einer deutschen Social-Politik, 5 Bde. Stuttgart: J.G. Cotta 1854/55 u. öfter; Neuausgaben ebda 1925 ff.

ROEDL, Urban (d.i. Bruno ADLER): Adalbert Stifter. Geschichte eines Lebens. Berlin: Rowohlt 1936. – Neuausgabe. München: Dt. Kunstverlag 1955; 2. Aufl. Bern/München: A. Francke 1958.

RUPRECHT, Erich: Die Botschaft der Dichter. 12 Vorträge. (Schriftenreihe der Universitas. 1.) Stuttgart: Schmiedel 1947, S. 211–244: Der hohe Mensch in Adalbert Stifters »Nachsommer«.

RYCHNER, Max: Welt im Wort. Literar. Aufsätze. Zürich: Manesse-Verlag 1949, S. 157 bis 180: Stifters »Nachsommer».

VON SCHAUKAL, Richard: Gedanken über den »Nachsommer«. In: Adalbert Stifter, Ein Gedenkbuch. Wien: J. Grünfeld 1928, S. 62–74.

SCHELSKY, Helmut: Soziologie der Sexualität. Über die Beziehungen zwischen Geschlecht, Moral u. Gesellschaft. (rowohlts dt. enzyclopädie. 2.) Hamburg: Rowohlt 1955.

SCHIRMBECK, Heinrich: Natalie und Mathilde Tarona. Über die Frauengestalten in Stifters »Nachsommer«. In: Der Bücherwurm. Jg 26, H. 3/4, Nov./Dez. 1940, S. 49 bis 52.

SCHMIDT, Arno: Dya Na Sore. Gespräche in e. Bibliothek. Karlsruhe: Stahlberg-Verlag 1958.

SIEBER, Dorothea: Stifters Nachsommer. (Jenaer germanist. Forschungen. 10.) Jena: Fr. Frommann 1927.

STADELMANN, Rudolf / FISCHER, Wolfram: Die Bildungswelt des deutschen Handwerkers um 1800. Studien zur Soziologie des Kleinbürgers im Zeitalter Goethes. Berlin: Duncker & Humblot 1955.

STAIGER, Emil: Meisterwerke deutscher Sprache aus dem 19. Jh. Zürich/Freiburg: Atlantis-Verlag 1943, ²1948, ³1957, S. 186–201: Stifters »Nachsommer«.

DERS.: Adalbert Stifter als Dichter der Ehrfurcht. (Veröffentlichung 15.) Olten: Vereinigung der Oltener Bücherfreunde 1943.

STERN, F. Peter: Unpolitische Kritik. Anmerkungen zur dt. Stifter – Literatur. In: Forum. Österr. Monatsblätter für kulturelle Freiheit. Jg 11, H. 128, Aug. 1964, S. 379 ff.

STOESSL, Otto: Lebensform und Dichtungsform. Essays. München: Georg Müller 1914, S. 161–180.

DERS.: Adalbert Stifter. Eine Studie. (In d. Reihe: Dichtung u. Dichter.) Stuttgart: Dt. Verl.-Anst. 1925. S. 44–55.

SUHRKAMP, Peter: Ausgewählte Schriften zur Zeit- und Geistesgeschichte. (1.) Frankfurt: Suhrkamp 1951, S. 205–218: »Die Mappe meines Urgroßvaters«; S. 219–235: »Der Nachsommer«; S. 235–237: Tagebuchaufzeichnung zu Stifter.

TEBELDI, A. (d.i. C. Beidtel): Die Geldangelegenheiten Österreichs. Leipzig: J. A. Barth 1847.

TURNBULL, Peter Evan: Österreichs sociale und politische Zustände. (Austria, 2 Vols. London 1840.) Aus d. Engl. Leipzig: J. J. Weber 1840.

WEBER, Max: Wirtschaft und Gesellschaft. Grundriss der verstehenden Soziologie. 2 Bde. Tübingen: J. C. B. Mohr 1956. Soziologie der Herrschaft. 2. Halbbd. 9. Kap.

DERS.: Parlament und Regierung im neugeordneten Deutschland. Zur politischen Kritik des Beamtentums u. Parteiwesens. (In d. Reihe: Die innere Politik.) München: Duncker & Humblot 1918.

WILHELM, Gustav: Einleitung und Anmerkungen zu: Ad. Stifter, Der Nachsommer. In: Ad. Stifter, Werke, Tl 7, Berlin: Bong 1925, S. 7–44. 669–694.

ZIEGLER, Leopold: Dreiflügelbild. Gottfried Keller, Heinrich Pestalozzi, Adalbert Stifter. München: Kösel Verlag 1961.

Literatur über Stifter enthält weiter die »Vierteljahrsschrift des Adalbert Stifter Instituts des Landes Oberösterreich« in Linz. Jg 1 : 1952. Dort werden auch laufend die neuen Publikationen angezeigt.

ANMERKUNGEN

[1] Robert Owen: The Social System. London 1820; Ders.: The Book of the New Moral World. London 1836; Charles Fourier: Traité de l'association domestique-agricole. Paris, Londres 1822; Ders.: Le Nouveau Monde Industriel. Paris 1829; Étienne Cabet: Voyage en Icarie. Paris 1842; Johann Gottlieb Fichte: Der geschloßne Handelsstaat. Tübingen 1800.

[2] Fichte: Handelsstaat, S. 16f.   [3] Hegel: Logik, Bd 2, S. 226.

[4] Stifter: Nachsommer, S. 432f.   [5] Stifter: Hochwald. Studien, S. 225.

[6] Stifter: Nachsommer, S. 480.   [7] Stifter: Nachsommer, S. 433.

[8] Stifter: Nachsommer, S. 480.

[9] Brief an Gustav Heckenast vom 8. Sept. 1848.

[10] Lukács: Theorie, S. 55.

[11] Ludwig: Stifter als Realist. Matzke: Die Landschaft in der Dichtung Adalbert Stifters.

[12] Enzinger: Studienjahre. Neunlinger: ,,Der Nachsommer'' geographisch betrachtet, S. 205–210.

[13] Stifter: Nachsommer, S. 30.   [14] Stifter: Nachsommer, S. 479f.

[15] Stifter: Nachsommer, S. 41f.   [16] Stifter: Nachsommer, S. 296.

[17] Stifter: Nachsommer, S. 74f.   [18] Stifter: Nachsommer, S. 128.

[19] Stifter: Nachsommer, S. 672f.   [20] Stifter: Nachsommer, S. 33.

[21] Stifter: Nachsommer, S. 58.   [22] Stifter: Nachsommer, S. 148–166.

[23] Stifter: Nachsommer, S. 165.   [24] Stifter: Nachsommer, S. 498.

[25] Stifter: Nachsommer, S. 495.   [26] Novotny: Stifter als Maler, S. 51.

[27] Stifter: Nachsommer, S. 63.   [28] Stifter: Nachsommer, S. 45.

[29] Gundolf: Stifter.   [30] Stifter: Nachsommer, S. 575.

[31] Stifter: Nachsommer, S. 433.   [32] Stifter: Nachsommer, S. 629.

[33] Stifter: Nachsommer, S. 228f.   [34] Stifter: Nachsommer, S. 30.

[35] Stifter: Nachsommer, S. 487.   [36] Stifter: Nachsommer, S. 553f.

[37] Stifter: Nachsommer, S. 174.   [38] Stifter: Nachsommer, S. 193f.

[39] Stifter: Nachsommer, S. 493–498.

[40] Goethe: Wahlverwandtschaften. II, 9.

[41] Stifter: Nachsommer, S. 544f.   [42] Stifter: Nachsommer, S. 494.

[43] Riehl: Naturgeschichte, Bd 3: Die Familie.

[44] Stifter: Nachsommer, S. 819.   [45] Stifter: Nachsommer, S. 552f.

[46] Stifter: Nachsommer, S. 558.   [47] Stifter: Nachsommer, S. 556f.

[48] Stifter: Nachsommer, S. 556.   [49] Stifter: Nachsommer, S. 554.

[50] Stifter: Nachsommer, S. 554.   [51] Stifter: Nachsommer. S. 553.

[52] Stifter: Nachsommer, S. 554.
[53] Stifter: Nachsommer, S. 557.
[54] Stifter: Nachsommer, S. 586 f.
[55] Stifter: Nachsommer, S. 814.
[56] Stifter: Nachsommer, S. 818.
[57] Benjamin: Schriften I, S. 577.
[58] Pouzar: Ideen und Probleme.
[59] Staiger: Meisterwerke, S. 191.
[60] Stifter: Nachsommer, S. 559.
[61] Stifter: Nachsommer, S. 559.
[62] Stifter: Nachsommer, S. 706–780.
[63] Stifter: Nachsommer, S. 780.
[64] Stifter: Nachsommer, S. 415.
[65] Stifter: Nachsommer, S. 838.
[66] Rehm: Nachsommer, S. 36.
[67] Rehm: Nachsommer, S. 48 f.
[68] Bietak: Lebensgefühl des Biedermeier.
[69] Lukács: Zerstörung.
[70] Stadelmann und Fischer: Bildungswelt des deutschen Handwerkers.
[71] Lukács: Theorie, S. 34.
[72] Benjamin: Schriften I, S. 475 f.
[73] Gundolf: Stifter, S. 40.
[74] Stifter: Nachsommer, S. 235.
[75] Stifter: Nachsommer, S. 256.
[76] Es sind dies die beiden letzten Strophen des Sonetts ,,Avec ses vêtements ...'' aus dem Kapitel »Spleen et Idéal«.
[77] Stifter: Nachsommer, S. 586 f.
[78] Brief vom 20. Dez. 1852 an Auguste von Jäger.
[79] Gundolf: Stifter, S. 61.
[80] Lukács: Theorie, S. 55.
[81] vgl. Bibl: Die niederösterreichischen Stände; und ,,Bewohner Wiens'' (Anonymus): Verhältnisse der handarbeitenden Bevölkerung in Wien, S. 177 f.
[82] Stifter: Nachsommer, S. 14.
[83] Stifter: Nachsommer, S. 15.
[84] Brief vom 13. Mai 1854.
[85] Vgl. Webers Soziologie der Herrschaft, in: Wirtschaft und Gesellschaft.
[86] Riehl: Naturgeschichte des Volkes.
[87] Stifter: Nachsommer, S. 305 f., 536 ff., 657–667.
[88] Stifter: Nachsommer, S. 476, 524.
[89] Stifter: Nachsommer, S. 306 f., 536 ff.
[90] Stifter: Nachsommer, S. 409 ff.
[91] Stifter: Nachsommer, S. 305 f.
[92] Stifter: Nachsommer, S. 435 f.
[93] Stifter: Nachsommer, S. 698.
[94] Stifter: Nachsommer, S. 615.
[95] Stifter: Nachsommer, S. 226.
[96] Stifter: Nachsommer, S. 59.
[97] Stifter: Nachsommer, S. 615.
[98] Stifter: Nachsommer, S. 131 f.
[99] Benjamin: Schriften II, S. 284.
[100] Stifter: Nachsommer, S. 128 f.
[101] Stifter: Nachsommer, S. 96 f.
[102] Stifter: Nachsommer, S. 129.
[103] Stifter: Nachsommer, S. 130.
[104] Stifter: Nachsommer, S. 604 f.
[105] Stifter: Nachsommer, S. 655.
[106] Stifter: Nachsommer, S. 656.
[107] Stifter: Nachsommer, S. 350–354.
[108] Stifter: Nachsommer, S. 125.
[109] Stifter: Nachsommer, S. 773 und 812.
[110] vgl. Stifter: ,,Brigitta'' und ,,Die Narrenburg'', S. 186, 190 f. und 305–320.
[111] Stifter: Narrenburg, S. 412 f.
[112] Stifter: Prokopus, S. 488.
[113] Stifter: Nachsommer-Fragmente. In: Erzählungen in der Urfassung III, S. 333 f.
[114] Außer Rehm etwa Hofmiller: Letzte Versuche, S. 11 ff.
[115] Adorno: Naivetät.
[116] Fischer: Stifter. Psychologische Beiträge, S. 90–105.

NAMENSREGISTER

Adorno, Theodor W. 76
Baudelaire, Charles 49
Benjamin, Walter 8 Anm., 31 Anm., 39, 48, 67
Bietak, Wilhelm 45
Bloch, Ernst 2 Anm.
Blum, Jerome 58 Anm.
Cabet, Étienne 2
Engels, Friedrich 23 Anm., 46 Anm.
Enzinger, Moriz 8
Fichte, Johann Gottlieb 2 f
Fischer, Wolfram 46
Fourier, Charles 2 f
Freud, Sigmund 40 Anm.
Godde, Edmund 18 Anm.
Goethe, Johann Wolfgang 13, 18, 29, 31
Grillparzer, Franz 46 Anm.
Gundolf, Friedrich 18, 48, 50
Hebbel, Friedrich 62 Anm.
Heckenast, Gustav 2 Anm., 56
Hegel, Georg Wilhelm Friedrich 4, 24, 45, 63, 66
Hermand, Jost 19 Anm., 45
Keller, Gottfried 48, 76

Kluckhohn, Paul 45
Kühn, Julius 18 Anm.
Lukács, Georg 3, 8, 46, 47, 51
Ludwig, Marianne 8 f
Marx, Karl 62, 77
Matzke, Frank 8
Neunlinger, J. 8
Novalis 24
Novotny, Fritz 15 f
Owen, Robert 2 f
Paul, Jean 21, 57, 74
Plato 2
Pouzar, Otto 39
Proust, Marcel 71
Raabe, Wilhelm 76
Rehm, Walther 44 f
Riehl, Wilhelm Heinrich 33, 57, 67
Stadelmann, Rudolf 46
Staiger, Emil 39
Tebeldi, A. (d. i. C. Beidtel) 58 Anm.
Türck, Joseph 46 Anm.
Weber, Max 57
Weiß, Peter 6

Le Présent

*Le cadeau qui, dès aujourd'hui,
apporte plus de bonheur et de succès
dans votre vie !*

Spencer Johnson, M.D.

Adapté de l'américain
par Danielle Champagne

Traduction : Danielle Champagne
Révision linguistique : Nicole Demers, André St-Hilaire
Révision : Nancy Coulombe
Typographie et mise en page : Sébastien Rougeau
Graphisme de la page couverture : Sébastien Rougeau
ISBN 2-89565-209-0
Première impression : 2004
Dépôt légal : deuxième trimestre 2004
Bibliothèque Nationale du Québec
Bibliothèque Nationale du Canada

Éditions AdA Inc.
1385, boul. Lionel-Boulet
Varennes, Québec, Canada, J3X 1P7
Téléphone : 450-929-0296
Télécopieur : 450-929-0220
www.ADA-INC.com
INFO@ADA-INC.COM

Diffusion

Canada : Éditions AdA Inc.

Imprimé au Canada

Participation de la SODEC.
Nous reconnaissons l'aide financière du gouvernement du Canada par l'entremise du
Programme d'aide au développement de l'industrie de l'édition (PADIÉ) pour nos activités
d'édition.
Gouvernement du Québec - Programme de crédit d'impôt pour l'édition de livres - Gestion
SODEC.

Catalogage avant publication de la Bibliothèque nationale du Canada

Johnson, Spencer

Le Présent : le cadeau qui, dès aujourd'hui, apporte plus de bonheur et de succès dans
votre vie !
Traduction de : The present.

ISBN 2-89565-209-0

I. Champagne, Danielle, 1958-   II. Titre.

PS3610.O383P7414 2004   813'.6   C2004-940478-4

*Ce livre est dédié à tous ceux qui en font partie,
particulièrement aux membres de ma famille.*

Table des matières

Avant l'histoire   7

L'histoire du présent   13
      Être   37
      Apprendre   50
      Planifier   63
      Sommaire : comment utiliser le présent   85

Après l'histoire   91

Pour en apprendre plus   112

L'auteur   115

Avant l'histoire

Ce jour-là, en fin d'après-midi, Bill Green reçoit un appel téléphonique de Liz Michaels, une ancienne collègue de travail.

Liz avait entendu dire que Bill connaissait beaucoup de succès et, sans plus tergiverser, elle le sollicite :

– J'aimerais bien te rencontrer le plus tôt possible.

À l'intonation de la voix, Bill avait cru déceler une certaine tension chez Liz. Il accepte donc la proposition de la jeune femme, réorganise son emploi du temps et lui fixe un rendez-vous pour le lendemain, à l'heure du lunch. Lorsque Liz entre dans le restaurant, Bill remarque qu'elle semble éreintée.

Après qu'ils eurent échangé quelques politesses et commandé le repas, Liz lui annonce :

– Tu sais, j'ai obtenu le poste de Harrison.

Bill la félicite.

– Bravo ! Je ne suis pas surpris que tu aies obtenu cette promotion.

– Je te remercie, mais les problèmes ne font que s'accumuler, répond-elle. En fait, beaucoup de choses ont changé depuis ton départ. Il y a moins d'employés dans la boîte et plus de travail à faire. Le temps semble toujours nous manquer.

Alors, je n'apprécie plus autant mon travail et ma vie. Et toi, Bill, tu as l'air d'aller bien, conclut-elle en changeant de sujet.

— Je vais très bien. J'aime plus que jamais mon travail et ma vie. Un bon changement pour moi !

— Oh ! Tu as un nouveau travail ?

Bill se met à rigoler.

— Non, mais c'est tout comme. Tout s'est produit il y a environ un an.

Liz, curieuse, lui demande :

— Que s'est-il passé ?

— Tu te rappelles comme je devais me pousser, de même que toute l'équipe, pour que le travail s'effectue efficacement ? et combien de temps et d'efforts nous devions mettre pour accomplir nos tâches ?

Liz, tout en riant de bon cœur, acquiesce :

— Je ne m'en souviens que trop bien.

À son tour, Bill esquisse un sourire, comme si son ancien comportement l'amusait.

— Eh bien, j'ai appris quelques leçons, tout comme de nombreux collègues de mon service. Nous obtenons de meilleurs résultats, plus rapidement et avec beaucoup moins de stress. Et surtout, j'aime encore plus la vie.

— Que s'est-il passé ? demande une nouvelle fois Liz.

– Si je te le disais, tu ne me croirais probablement pas.

– Eh bien essaie, réplique-t-elle.

Après une pause, Bill lui répond :

– Un bon ami m'a raconté une histoire qui s'est avérée un véritable cadeau. Elle s'intitule *Le présent*.

– Quel en est le sujet ? demande Liz.

– C'est l'histoire d'un jeune homme qui découvre un mode de vie et de travail qui le rend plus heureux et plus efficace, et ce, instantanément.

– Instantanément ? reprend Liz.

– Oui. C'est le sujet principal du récit. Après avoir entendu l'histoire, j'y ai beaucoup réfléchi. Je me suis demandé comment je pouvais en tirer parti. Puis, je me suis mis à en appliquer les leçons ; d'abord au travail, puis dans ma vie personnelle. J'ai changé et mon entourage a commencé à le remarquer. Tout comme le jeune homme de l'histoire, je suis maintenant plus heureux et je me réalise davantage.

– Comment y arrives-tu ? rétorque Liz, qui voulait en savoir plus.

– Eh bien, je me concentre mieux sur ce que je fais. Je tire des leçons des événements et je planifie mieux le futur. Je donne la priorité à ce qui importe et je passe rapidement à l'action.

Liz, étonnée, lui demande :

— Et tout cela à cause d'une simple histoire ?

— C'est ce que, *moi*, j'en ai retiré. Au moment où ils entendent l'histoire, les gens, selon leurs situations professionnelle et personnelle, s'aperçoivent des diverses possibilités que leur offre le présent. Et, bien sûr, certaines personnes n'y comprennent rien.

Bill poursuit :

— Il s'agit d'une fable dont la morale a des applications dans la vie de tous les jours. Sa valeur se trouve davantage dans ce que les personnes en *retirent* que dans ce qu'elle *raconte*.

— Tu peux me la conter ?

Bill boit un peu d'eau et répond lentement :

— Liz, j'hésite car tu m'as toujours paru si sceptique et que c'est le genre d'histoire que tu pourrais rejeter facilement.

À cet instant, Liz décide de s'ouvrir plus. Elle admet subir énormément de stress, tant au travail que dans sa vie personnelle, et qu'elle s'était adressée à lui en espérant recevoir de l'aide. À ce moment, Bill se rappelle l'époque où de tels sentiments l'habitaient.

— J'aimerais vraiment entendre cette histoire, insiste Liz.

Bill avait toujours éprouvé de l'affection pour Liz et il la respectait. Alors, il lui dit :

– Il me ferait plaisir de te la raconter, à la condition que tu acceptes d'en tirer tes propres leçons. Et si tu la trouves utile, j'espère que tu la partageras avec d'autres personnes.

D'un signe de la tête, Liz acquiesce et Bill continue :

– La première fois que j'ai entendu cette histoire, je me suis rendu compte à un certain moment qu'elle pouvait m'apprendre plus de choses que je ne l'avais cru au départ. Je me suis mis à prendre des notes afin de mieux retenir les idées sensées dont je voudrais peut-être me souvenir plus tard.

Liz, songeuse, se demande ce qu'elle pourra bien tirer de cette histoire. Néanmoins, elle sort un petit carnet de sa bourse et annonce d'une voix déterminée :

– Je t'écoute.

Alors, Bill commence à raconter l'histoire du présent.

L'histoire du présent

IL ÉTAIT une fois un garçon qui avait l'habitude d'écouter les propos d'un vieux sage, et c'est ainsi qu'il découvrit peu à peu ce qu'était *le présent*.

Le vieil homme et le garçon se connaissaient depuis plus d'un an et ils aimaient discuter ensemble.

Un jour, le vieillard lui avait dit :

– On l'appelle simplement *le présent* parce que c'est *le* plus précieux des cadeaux que tu puisses recevoir.

– Pourquoi est-il si précieux ? demanda le garçon.

Et le vieil homme de lui expliquer :

– Parce que, quand tu reçois ce cadeau, tu deviens plus heureux et plus apte à accomplir tout ce que tu souhaites.

– Oh là là ! s'exclama le garçon, même s'il ne comprenait pas tout à fait ce que disait le sage. J'espère qu'un jour quelqu'un m'offrira un tel présent. Peut-être à mon anniversaire ?

Puis, au pas de course, le jeune garçon retourna à ses jeux.

Le vieil homme souriait. Il songeait à tous les anniversaires qui passeraient avant que le garçon ne prenne conscience de la valeur du présent.

Le vieil homme aimait regarder le garçon s'amuser dans le voisinage. Souvent il l'apercevait, souriant et rigolant, se balançant à un arbre de la rue.

Le garçon était heureux et complètement absorbé par tout ce qu'il faisait. C'était un plaisir de l'admirer.

Lorsque le garçon fut plus âgé, le vieil homme n'a pu s'empêcher de remarquer sa façon de travailler.

Le samedi matin, il observait parfois son jeune ami tondre la pelouse d'un voisin de l'autre côté de la rue. Le garçon sifflait en travaillant. Peu importe l'activité qu'il faisait, il semblait toujours heureux.

Un matin, en voyant le vieil homme, le garçon se rappela ce que ce dernier lui avait révélé à propos du présent.

Le garçon savait bien ce qu'était un présent, par exemple la bicyclette qu'il avait reçue à son anniversaire et les cadeaux qu'il trouvait sous le sapin le matin de Noël.

Cependant, en y réfléchissant bien, il se rendit compte que la joie que lui procuraient ces présents ne durait pas très longtemps.

Il se demandait : « Qu'a de si spécial le présent ? Pourquoi est-il plus précieux que tous les autres cadeaux ? Comment pourrait-il me rendre plus heureux et plus efficace dans l'accomplissement de mes tâches ? »

Voulant des réponses à ces questions, il traversa la rue pour les soumettre au vieil homme.

Il demanda ce que tout jeune de cet âge aurait demandé :

– Le présent est-il une baguette magique qui pourrait réaliser tous mes désirs ?

– Non, répondit le vieillard en riant. Le présent n'a rien à voir avec la magie et les souhaits.

Incertain quant au sens à donner à la réponse du vieil homme, le garçon retourna à la tonte des pelouses, ne sachant toujours pas ce qu'était le présent en question.

Au fil des ans, le garçon continuait de songer au présent. Si les souhaits étaient exclus, peut-être s'agissait-il d'un voyage à un endroit bien spécial ?

Peut-être dans un pays étranger, où tout serait différent : les gens, les vêtements qu'ils portent, la langue qu'ils parlent, les maisons où ils habitent et même leur argent. Comment s'y rendrait-il ?

Il alla interroger le vieil homme.

– Le présent est-il un engin pour voyager dans le temps qui m'amènerait partout où je veux aller ?

– Non, répondit le vieil homme. Quand tu reçois le présent, tu ne passes plus ton temps à rêver d'ailleurs.

LES ANNÉES s'écoulèrent et le garçon devint un adolescent.

Il était de plus en plus insatisfait. Pourtant, il avait espéré être de plus en plus heureux en vieillissant. Et aujourd'hui, il désirait toujours davantage : plus d'amis, plus d'objets et plus de plaisirs.

Impatient, il rêvait à ce qui l'attendait dans ce monde. Il repensait à ses entretiens avec le vieil homme et songeait souvent à la promesse du présent.

Il retourna chez le vieil homme et lui demanda :

– Le présent me rendra-t-il riche ?

– Oui, d'une certaine façon, lui révéla le vieil homme. Le présent peut te faire découvrir toutes sortes de richesses, mais sa véritable valeur ne se mesure pas en or ou en argent.

L'adolescent était confus.

– Vous m'avez dit que nous étions plus heureux lorsque nous recevions le présent.

– Oui, confirma le vieil homme. Et, grâce à lui, tu connaîtras aussi plus de succès.

– Qu'est-ce que le succès ? s'enquit l'adolescent.

– Le succès, c'est de réaliser progressivement les objectifs qui sont importants pour toi.

– Je dois donc définir ce qu'est le succès pour moi ?

– C'est ce que nous faisons tous, dit le vieil homme. Et notre définition du succès peut changer à différentes périodes de notre vie.

– Pouvez-vous préciser ?

– Pour l'instant, il s'agit peut-être d'améliorer tes relations avec tes parents, d'obtenir de meilleures notes à l'école, d'exceller dans les sports, de trouver un emploi à temps partiel qui soit agréable ou de recevoir une augmentation de salaire parce que tu travailles mieux.

– Et plus tard ? demanda le jeune homme.

– Plus tard, le succès signifiera peut-être simplement d'apprécier ta vie davantage, de te sentir en paix et bien avec toi-même, et ce, quoi qu'il arrive. Ce type de succès est bien particulier.

– Et pour vous, c'est quoi le succès ? demanda l'adolescent.

Le vieil homme rit avant de dire :

– À ce stade de ma vie, c'est de rire le plus souvent possible, d'aimer le plus intensément que je le puisse et de rendre fréquemment service aux gens qui m'entourent.

– Et le présent vous aide à réaliser tout cela ?

– Absolument ! s'exclama le vieil homme.

– Eh bien, personne ne m'a offert un présent comme celui-là. En fait, jamais personne d'autre ne m'a parlé d'un tel présent. Je commence à croire qu'il n'existe pas.

Le vieil homme répliqua :

– Oh si, il existe, mais je crains que tu ne comprennes pas encore.

Vous savez déjà
ce qu'est le présent.

Vous savez déjà
où le trouver.

Et vous savez déjà
comment il peut vous apporter
plus de bonheur et plus de succès.

Vous le saviez mieux
quand vous étiez plus jeune.

Vous avez simplement oublié.

Le vieil homme posa une question :

– À l'époque où tu étais plus jeune et que tu tondais les pelouses, étais-tu heureux ou malheureux ?

– Heureux, déclara l'adolescent qui autrefois n'était qu'un petit garçon.

– Pourquoi étais-tu heureux ?

L'adolescent réfléchit un instant avant d'expliquer :

– Parce que j'aimais ce que je faisais. J'étais tellement bon que les voisins me demandaient de tondre leur pelouse. Tout compte fait, je gagnais beaucoup d'argent pour un enfant de mon âge.

– À quoi pensais-tu pendant que tu travaillais ?

– Quand je tondais la pelouse, je pensais à tondre la pelouse. J'imaginais la façon dont j'allais couper l'herbe dans les parties plus touffues et autour des obstacles. Je songeais au nombre de pelouses que je pouvais entretenir en un après-midi et je me disais que j'étais content de moi. Je m'appliquais principalement à couper l'herbe qui s'étalait devant moi.

Il parlait de sa tâche sur un ton qui donnait l'impression que la réponse à la question posée par le vieil homme était évidente.

Le vieillard se pencha lentement vers l'avant et lui dit :

– Exactement ! Voilà pourquoi tu étais si heureux et si efficace.

Malheureusement, l'adolescent ne prit pas le temps de réfléchir à ces paroles et montra des signes d'impatience.

— Si vous voulez vraiment me voir plus heureux, pourquoi ne me révélez-vous tout simplement pas ce qu'est le présent ?

— Et où le trouver ? compléta le vieil homme.

— Oui, dit l'adolescent.

— Je voudrais bien, répliqua l'homme, mais je ne détiens pas un tel pouvoir. Nul ne peut trouver le présent pour quelqu'un d'autre.

— Le présent, c'est un cadeau qu'on se fait à soi-même. Toi seul as le pouvoir de découvrir en quoi il consiste, expliqua le vieillard.

Déçu de cette réponse, l'adolescent quitta le vieil homme.

Au sortir de l'adolescence, le jeune homme résolut de trouver le présent par lui-même.

Il lisait des magazines, des journaux, des livres. Il discutait avec ses amis et sa famille. Il furetait sur Internet. Il voyageait, même dans des pays lointains, à l'affût de réponses que pouvaient lui donner les gens qu'il rencontrait. Malgré ses innombrables et intenses recherches, personne n'a jamais pu lui révéler ce qu'était le présent.

Au bout d'un certain temps, fatigué et découragé, il abandonna sa quête.

Il finit par accepter un poste dans une entreprise locale. Aux yeux de son entourage, il réussissait plutôt bien. Toutefois, il sentait que quelque chose lui manquait.

Quand il était au travail, il songeait à d'autres emplois qui lui plairaient davantage ou à ce qu'il ferait de retour à la maison.

Souvent, durant les réunions ou en pleine conversation avec ses amis, son esprit vagabondait. Pendant les repas, il était parfois distrait, ne goûtant pas vraiment aux aliments dans son assiette.

À son travail, il menait à bien ses projets, tout en étant conscient qu'il pouvait faire mieux. Au fond, il savait qu'il ne donnait pas le meilleur de lui-même ; mais pour lui, ce qu'il faisait n'avait pas vraiment d'importance.

APRÈS un certain temps, le jeune homme s'aperçut qu'il était malheureux. D'après lui, il travaillait fort et faisait bien ce qu'on lui demandait de faire. Il arrivait presque toujours à l'heure et avait le sentiment de donner une bonne journée de travail.

Il espérait être promu. Peut-être alors serait-il plus heureux ?

Puis, un jour, il apprit qu'une autre personne avait obtenu la promotion qu'il était sûr de décrocher.

Le jeune homme était fâché. Il ne comprenait pas pourquoi quelqu'un d'autre avait obtenu le poste qu'il convoitait. Il s'efforçait de ne pas montrer son irritation, ce qui aurait été déplacé dans son milieu de travail. Cependant, la colère était bien présente et elle commençait à empoisonner sa vie.

À mesure que sa rage s'amplifiait, la qualité de son travail diminuait.

Il tentait de faire croire à son entourage que la promotion qui lui avait échappé importait peu mais, au plus profond de lui-même, il commençait à douter de ses moyens et à se demander : « Ai-je bien tout ce qu'il faut pour réussir ? »

Sa vie personnelle n'était pas beaucoup plus reluisante. Il n'arrivait pas à se remettre de sa rupture avec sa petite amie. Il désespérait de trouver un jour le véritable amour et de pouvoir fonder une famille.

Il avait l'impression que tout s'écroulait autour de lui. Sa vie, remplie de projets abandonnés, d'objectifs non atteints et de rêves non réalisés, semblait le mener nulle part.

Il savait que son existence ne correspondait pas au potentiel qu'il avait démontré durant sa jeunesse.

Chaque jour, il revenait du travail un peu plus fatigué et un peu plus déçu. Il n'était jamais satisfait de ce qu'il avait fait durant la journée. Cependant, il ignorait ce qu'il devait faire.

Il se remémorait l'époque de sa jeunesse, où la vie semblait bien plus simple. Il songeait aux paroles prononcées par le vieil homme et à la promesse du présent.

Il savait qu'il n'était pas aussi heureux et épanoui qu'il le souhaitait. Peut-être n'aurait-il pas dû abandonner sa quête du présent.

Il y avait maintenant longtemps qu'il n'avait pas discuté avec le vieil homme. Sa vie minable l'embarrassait, et il hésitait à le retrouver pour solliciter son aide. Finalement, tellement mécontent de son travail et de sa vie en général, il se résolut à aller parler au vieil homme.

LE vieil homme l'accueillit avec plaisir. Il remarqua immédiatement le manque d'énergie et la tristesse évidente du jeune homme. Soucieux de l'aider, il l'encouragea à se confier.

Le jeune homme lui raconta ses tentatives décevantes pour découvrir le présent et lui avoua qu'il avait maintenant renoncé à sa quête. Ensuite, il lui parla de ses préoccupations actuelles.

Cependant, en présence du vieil homme, il fut très surpris de constater que ses problèmes ne semblaient pas aussi graves qu'il croyait.

Les deux hommes passaient un moment merveilleux à discuter et à rire ensemble.

Le jeune homme réalisa qu'il aimait énormément être en compagnie du vieil homme. Avec lui, il se sentait plus heureux et plus énergique.

Il se demandait pourquoi le vieillard paraissait en meilleure forme que toutes les autres personnes qu'il connaissait, pourquoi il était si spécial.

Il déclara au vieil homme :

— Je me sens si bien quand je suis avec vous. Y a-t-il un lien avec le présent ?

— Absolument ! répondit le vieux sage.

— Je voudrais tellement trouver le présent ! s'exclama le jeune homme. Et aujourd'hui ne serait pas trop tôt !

— Pour découvrir le présent, dit en riant le vieil homme, pense aux moments où tu as été le plus heureux, où tu as obtenu le plus de succès. Tu sais déjà où trouver le présent. Seulement, tu n'en es pas conscient.

Il poursuivit :

— Quand tu cesseras de t'acharner à le chercher, il te sera plus facile de le trouver. En fait, il deviendra évident.

Le vieil homme suggéra ensuite :

— Pourquoi ne t'accordes-tu pas un peu de temps en dehors de ta routine pour laisser la réponse venir d'elle-même ?

LE JEUNE homme réfléchit à la suggestion du vieil homme. Finalement, il accepta l'offre d'un ami de lui prêter son chalet en montagne pour quelque temps.

Seul dans la nature, il constata que la vie se déroulait plus lentement et qu'elle semblait bien différente.

Il faisait de longues promenades et réfléchissait sur le sens de son existence. « Pourquoi ma vie n'est-elle pas comme celle du vieil homme ? » se demandait-il.

Le jeune homme avait appris que, malgré toute la modestie dont faisait montre le vieillard, ce dernier avait eu beaucoup de succès au cours de sa vie.

Il avait débuté au bas de l'échelle dans une organisation hautement respectée et s'était rendu au sommet de la pyramide hiérarchique. De plus, il s'était impliqué dans sa communauté, et ce, de diverses façons.

Le vieil homme avait une famille unie et aimante, ainsi que de nombreux amis loyaux qui le visitaient régulièrement. Il possédait un merveilleux sens de l'humour et une sagesse que son entourage appréciait et respectait.

Il émanait de lui une sérénité que le jeune homme avait rarement vue chez d'autres personnes.

Le jeune homme sourit en se disant : « Et il a la vitalité d'une personne deux fois plus jeune ! » C'était de toute évidence l'individu le plus heureux et le plus accompli qu'il n'ait jamais rencontré.

Quel était donc ce présent qui conférait au vieil homme tant de merveilleuses qualités ?

En marchant des kilomètres autour du lac, il évoquait ce qu'il connaissait du présent : « *C'était un cadeau que l'on s'offrait à soi-même. Il le connaissait mieux lorsqu'il était plus jeune. Il l'avait tout simplement oublié.* »

Puis, son esprit le ramena à ses échecs. Il se rappelait exactement son état d'âme au moment où il avait appris qu'il n'avait pas obtenu la promotion qu'il convoitait. Il s'en souvenait comme si s'était arrivé la veille. Il ressentait encore de la colère. Plus il y pensait, moins il avait envie de retourner au travail.

Il remarqua alors que le jour tombait et il se hâta de rentrer au chalet.

À l'intérieur, il fit un feu de foyer pour chasser l'humidité et ses yeux se fixèrent sur quelque chose qu'il n'avait jamais remarqué auparavant.

En allumant le feu, il remarqua pour la première fois le magnifique foyer du chalet.

Il était construit de grandes et de petites pierres. Un peu de mortier reliait les pierres entre elles. Quelqu'un les avait choisies et taillées avec grand soin, puis les avait disposées parfaitement.

Maintenant qu'il en était conscient, il appréciait ce foyer, qui avait pourtant toujours été là.

L'ouvrier qui l'avait bâti était plus qu'un maçon. C'était un véritable artiste.

Tout en admirant la construction du foyer, le jeune homme imagina ce qu'avait dû éprouver le maçon en y travaillant.

Il devait être entièrement absorbé dans son travail. Il était évident qu'il était demeuré concentré et qu'il ne s'était pas laissé distraire. Le résultat était si parfait !

Il n'avait certainement pas songé à un amour perdu ou au repas qu'il allait prendre le soir, et probablement pas à ce qu'il ferait une fois la tâche terminée ou à ce qu'il aurait préféré faire en lieu et place de la construction du foyer.

En regardant ce chef-d'œuvre de la maçonnerie, le jeune homme comprit que l'ouvrier avait réussi et que, pour ce faire, il ne s'était concentré sur rien d'autre que sa tâche.

Mais qu'avait donc dit le vieil homme ? « Pour trouver le présent, pense aux moments où tu as été le plus heureux, où tu as obtenu le plus de succès. »

Il se rappela ses discussions avec le vieillard au cours desquelles ils parlaient de la tonte des pelouses du voisinage. Il se souvenait comment il était concentré sur la coupe de l'herbe et comment il ne se laissait pas distraire par autre chose.

« Quand tu es entièrement absorbé dans ce que tu fais, ton esprit ne vagabonde pas et tu es plus heureux. Tu es tout entier dans l'instant présent », lui avait-il déjà dit le vieil homme.

Il réalisa qu'il ne s'était pas senti ainsi depuis très longtemps, ni à son travail ni ailleurs. Il passait trop de temps à regretter des événements du passé ou à s'inquiéter de l'avenir.

Il jeta un coup d'œil à l'intérieur du chalet. Il contempla à nouveau le feu. À cet instant, il ne pensait plus au passé ni à ce que le futur lui réservait. Il jouissait de l'endroit et du moment. Il sourit, prenant conscience qu'il était heureux. Il appréciait tout bonnement ce qu'il était en train de faire. Il savourait le moment présent.

Soudain, il comprit. Évidemment !

Il sut ce qu'était le présent, ce qu'il avait toujours été et ce qu'il était maintenant :

Le présent,
ce n'est ni le passé
ni le futur.

Le présent, c'est
le moment présent !

Le présent, c'est
maintenant !

Son visage afficha un large sourire. C'était tellement évident ! Il respira profondément et se détendit. Il jeta un regard sur l'intérieur du chalet et l'apprécia d'un tout nouvel œil.

Il sortit à l'extérieur et aperçut la silhouette des arbres qui se dessinait dans la noirceur du ciel et la neige qui couvrait le sommet des montagnes au loin.

En cette fin de soirée, il vit les premiers reflets de la lune sur le lac et entendit le chant des oiseaux.

Tant de perceptions, qui avaient pourtant toujours été présentes, se manifestaient soudainement à sa conscience. Il ne s'y était tout simplement jamais arrêté.

Il y avait longtemps qu'il ne s'était pas senti aussi calme et aussi heureux. Il n'avait plus l'impression d'être un raté. Plus le jeune homme pensait au présent, plus il en comprenait le sens.

« *Être dans le présent signifie se concentrer sur ce qui se passe à chaque instant, apprécier les cadeaux qui nous sont offerts chaque jour* », réalisa-t-il.

Il se rendit compte que, chaque fois qu'il vivait dans le présent, il était plus conscient de ses actes et s'y concentrait davantage. Il ressemblait alors à l'artisan qui avait bâti le magnifique foyer de pierres.

Il venait de saisir ce que le vieil homme avait tenté de lui inculquer depuis son enfance. Quand tu vis dans le présent, tu es plus heureux et tu obtiens plus de succès.

Le lendemain matin, le jeune homme se réveilla en pleine forme. Il avait très hâte d'aller voir le vieil homme pour lui dévoiler ce qu'il avait découvert.

Tout en s'habillant, il constata avec étonnement qu'il était beaucoup plus énergique que d'habitude.

Les sentiments éprouvés la veille lui revenaient à l'esprit. La révélation avait eu lieu quand il s'était concentré sur l'endroit où il se trouvait et sur son activité du *moment*. Rien d'autre n'avait occupé ses pensées.

Il était content d'avoir fait une pause pour venir réfléchir dans les montagnes. La solitude lui avait aussi été profitable.

Il se rappela qu'il fallait vivre dans le présent, maintenant. Inspirant profondément, il prit conscience du calme qui régnait en lui.

« *C'est si simple et ça fonctionne si rapidement !* » se dit-il à lui-même.

Puis, fronçant les sourcils, il poursuivit sa réflexion : « Se peut-il que vivre dans le présent soit aussi facile ? Après tout, la vie n'est peut-être pas si compliquée ! Cependant, c'est vrai qu'au travail les choses me paraissent complexes. Vivre dans le présent peut-il vraiment m'apporter un bonheur plus grand et davantage de succès ? » Il devait admettre que cela semblait fonctionner pour lui, en ce moment.

Comme il s'apprêtait à quitter le chalet, certaines questions assaillirent son esprit.

« Comment le présent agit-il dans une situation qui n'est pas aussi agréable qu'un séjour dans un merveilleux chalet de montagne ? se demanda-t-il. On ne vit pas que des moments heureux dans la vie : il y a des situations agréables et d'autres qui le sont moins.

Et puis encore, s'il en est un, quel est le rôle du passé ? du futur ? »

En route vers la maison du vieil homme, il se rendit compte qu'il avait de nombreuses questions à lui poser.

Être

DÈS que le vieil homme aperçut le large sourire et le regard vif du jeune homme qui approchait, il lui lança :

– Tu as la mine de quelqu'un qui a trouvé le présent.

– Exact ! s'exclama le jeune homme.

Le vieillard rayonnait. Il avait toujours su que le jeune homme découvrirait sa voie. Les deux savourèrent le moment présent.

– Raconte-moi comment ça s'est passé, demanda alors le vieil homme.

– Eh bien, je me suis senti plus heureux lorsque j'ai compris que je n'étais pas en train de me souvenir d'événements passés ou de vivre de l'anxiété face au futur. Soudain, j'ai pris conscience de l'évidence même. Le présent, le cadeau qu'on se fait à soi-même, c'est simplement le moment présent. Je sais maintenant qu'être dans le présent signifie se concentrer sur ce qui *se passe* à l'instant même.

Le vieil homme l'interrompit :

— C'est vrai, et pour deux raisons plutôt qu'une.

Le jeune homme n'écoutait pas. Il continuait à parler.

— Je vivais une situation agréable quand j'ai trouvé le présent. J'étais dans le chalet de mon ami, dans les montagnes.

Puis, hésitant, il émit une réserve :

— Je me demande en quoi il est bon d'être dans le présent quand les événements que l'on vit sont désagréables.

Il obtint une autre question en guise de réponse :

— Quand tu as pris conscience du présent, pensais-tu à ce qui allait bien ou à ce qui allait mal ?

— Je pensais à ce qui allait bien, même si tout n'était pas parfait. Je savais que je profitais d'un lieu merveilleux et de la tranquillité qu'il m'offrait.

Le vieil homme l'invita à écouter un sage propos :

*Même dans les situations
les plus difficiles,*

*quand vous vous concentrez
sur ce qui va bien
dans le moment présent,
vous devenez plus heureux,*

*et vous recevez
l'énergie et la confiance nécessaires
pour affronter
les difficultés du moment.*

Le jeune homme était étonné.

— Ainsi, être dans le présent signifie se concentrer sur ce qui *se passe* à l'instant même, ce qui implique de se concentrer sur ce qui va *bien* au moment présent ?

— Oui, lui confirma le vieil homme.

Le jeune homme s'accorda un moment de réflexion, puis lança :

— Vous savez, c'est logique. Quand je suis dans une mauvaise situation, d'habitude je me concentre sur ce qui va mal et je deviens déprimé et découragé.

— La plupart des gens ont le même comportement. En réalité, presque toutes les situations sont constituées d'un mélange d'éléments positifs et négatifs. À nous de décider comment nous voulons percevoir les événements. Plus nous nous attardons sur ce qui est négatif, plus notre énergie et notre confiance diminuent. C'est pourquoi il est important de chercher ce qui est *positif* dans une mauvaise situation, même si ce n'est pas toujours facile. Nous pouvons alors apprécier cet élément positif et s'en servir pour progresser. Mieux nous percevons l'aspect positif du moment, plus nous sommes heureux. Nous nous détendons davantage et il nous est alors plus aisé de demeurer dans le présent.

Le jeune homme demanda :

— Et si le présent est vraiment douloureux, par exemple si nous perdons une personne que nous aimons ?

– La douleur est la différence entre ce qui existe et ce que nous souhaitons vivre, rétorqua le vieil homme. La douleur dans le présent, comme toute autre chose d'ailleurs, change constamment. Elle vient, elle va. Quand nous restons pleinement dans le présent, que nous en ressentons la douleur, que notre énergie est drainée, nous pouvons commencer à chercher l'aspect positif, qui nous fera progresser.

Le jeune homme se mit à prendre des notes pour ne pas oublier ses nouvelles découvertes. Il demanda au vieil homme :

– Pourquoi ai-je l'impression que ce que vous m'avez enseigné jusqu'ici n'est que la pointe de l'iceberg et qu'il me reste énormément de choses à apprendre ?

Ce à quoi le vieillard répondit :

– Parce que tu commences à peine à apprécier ce qu'il te reste à découvrir. Puisque tu as trouvé le présent par toi-même et que tu sembles intéressé à en apprendre plus, je suis heureux de partager mes connaissances avec toi.

Le jeune homme manifesta sa reconnaissance et le vieil homme poursuivit :

– Il est important de vivre des expériences douloureuses et d'en tirer des leçons plutôt que d'essayer de les éviter par toutes sortes de distractions.

Être dans le présent signifie
qu'il faut éviter les distractions

et prêter attention
à ce qui a de l'importance, maintenant.

Vous créez votre propre présent
par les choses auxquelles
vous accordez votre attention aujourd'hui même.

Le jeune homme résuma :

— Ainsi, même dans les situations difficiles, je dois éliminer les distractions banales qui m'empêchent de vivre au présent.

— Tu peux trouver des exemples dans ta vie. Tu m'as déjà confié que tu avais des difficultés au travail ainsi que dans tes relations avec ton ex-amie. Peut-être devrais-tu te demander pourquoi tu étais si souvent distrait au travail, pourquoi tu ne prêtais pas toujours attention à ce qui avait de l'importance ? Pense aussi à ta vie en dehors du boulot. Quand tu étais en compagnie de ta bien-aimée, étais-tu entièrement présent ? Lorsque vous étiez ensemble, était-elle assez importante à tes yeux pour que tu lui accordes toute ton attention ? Dans une relation, il faut se concentrer entièrement sur la personne aimée. En connaissant bien les qualités et les défauts de l'autre, on peut prévoir les problèmes plutôt que de se laisser dérouter par eux quand ils surgissent. Je pourrais te donner des exemples de personnes que le présent a rendues plus heureuses et plus prospères, mais il serait plus profitable que tu en découvres par toi-même au cours des prochaines semaines.

Le jeune homme formula une dernière question :

— Avant que je parte, pouvez-vous me parler du passé et du futur ?

– Nous aborderons ces importantes questions un peu plus tard. Pour l'instant, demeurons dans le présent. En restant dans le présent et en te concentrant uniquement sur ce qui a de l'importance aujourd'hui, tu feras des découvertes extraordinaires.

Le jeune faisait confiance au sage homme, et il abandonna ses interrogations à propos du passé et du futur. Aussitôt, il se sentit mieux.

Il sourit. Il était beaucoup plus simple de ne se préoccuper que de l'instant présent. Maintenant, il se sentait moins stressé et plus confiant. Il savait que, s'il pouvait vivre dans le présent aujourd'hui, il y parviendrait aussi les autres jours.

Avant de partir, le jeune homme écrivit un résumé des connaissances qu'il avait acquises jusqu'alors sur le présent :

Se concentrer sur ce qui se passe au moment présent.

Apprécier l'aspect positif de la situation et progresser à partir de lui.

Prêter attention à ce qui a de l'importance présentement.

Il remercia le vieil homme et lui confia qu'il était prêt à retourner au travail et à tenter de mettre en application ce qu'il venait de découvrir.

Ainsi, il devrait demeurer conscient tant des aspects positifs que négatifs dans une situation donnée afin de pouvoir surmonter les obstacles pouvant nuire à son succès.

Au travail, la semaine suivante, le jeune homme révisa les notes qu'il avait prises au cours de ses conversations avec le vieil homme.

Puis, il entreprit de terminer un projet qu'il avait négligé depuis un certain temps. Il l'avait mis de côté, croyant qu'il serait ardu de rassembler toute l'information nécessaire.

Il se rappela de mettre à profit ce qu'il avait appris.

Il prit conscience du moment présent. Il inspira profondément, regarda autour de lui et apprécia ce qui se passait *à cet instant même* !

Il comprit qu'il n'avait peut-être pas été promu, mais qu'il avait toujours son emploi. Son environnement de travail était agréable, assez tranquille et bien organisé.

De nombreuses possibilités s'offraient à lui et, s'il accomplissait bien son boulot, il pourrait obtenir de la reconnaissance pour son travail.

Il réalisa combien il était facile d'oublier d'apprécier ce qu'il possédait actuellement.

Il fixa ensuite son attention sur ce qui avait de l'importance présentement. Il savait qu'en faisant avancer un premier projet, il bâtirait l'énergie et la confiance qui allaient lui permettre de réussir dans la prochaine tâche qui lui serait assignée.

Il s'attaqua aux problèmes, un à la fois. Il se heurta bien à quelques obstacles mais, au lieu de se distraire en se penchant sur une autre tâche, il demeura dans le présent.

Il se concentra uniquement sur ce qu'il devait faire à ce moment-là et poursuivit son travail.

À sa grande surprise, il termina en quelques heures. Même s'il ne s'agissait pas d'un projet d'envergure, il ressentit de la satisfaction, conscient qu'il avait accompli un travail rigoureux.

Il pensa qu'il y avait longtemps qu'il ne s'était pas senti aussi bien au travail.

Il s'avoua à lui-même : « Demeurer dans le présent est vraiment un moyen efficace pour moi. »

Au cours des semaines suivantes, il s'absorba dans son travail. Ses collègues l'avaient rarement vu aussi intense et aussi concentré.

Avant d'être en mesure de mettre en application ce qu'il avait appris sur le présent, il rêvassait durant les réunions en pensant continuellement à la promotion qu'il souhaitait obtenir.

Il savait maintenant qu'il était important d'être présent pour effectuer un bon travail *aujourd'hui.*

Il savait pertinemment qu'il n'arriverait peut-être pas à rester dans le présent chaque instant de sa vie mais que, s'il y parvenait *aujourd'hui,* il le pourrait à d'autres moments. Et chaque jour qu'il le ferait, il deviendrait un peu plus heureux et réussirait un peu mieux.

Maintenant, lorsque ses collègues prenaient la parole, il abandonnait ses pensées pour écouter attentivement ce qu'ils disaient. Il s'efforçait de participer, se mettant au défi d'émettre au moins une idée originale.

Ses clients et collègues ne tardèrent pas à remarquer qu'il avait changé. L'ancien jeune homme stressé manifestait maintenant un intérêt authentique pour leurs besoins. Il voulait savoir ce qu'il pouvait faire pour les aider, ainsi que ce qu'il pouvait faire pour améliorer le sort de l'entreprise.

Dans sa vie personnelle, ses amis se rendirent également compte du changement. Il les écoutait plus attentivement, comme le vieil homme l'avait écouté.

Au début, il devait faire des efforts pour se concentrer sur le présent et ne pas se laisser entraîner dans des regrets à propos du passé ou dans des inquiétudes concernant le futur. Cependant, plus il s'exerçait à rester dans le présent, plus cela devenait facile.

Grâce à sa nouvelle perspective de l'existence, son travail et sa vie personnelle s'améliorèrent.

Son enthousiasme et son engagement accrus captèrent l'attention de son supérieur et de ses amis.

Il réalisa qu'il avait plus de chances d'obtenir une promotion quand il travaillait mieux et qu'il faisait les efforts nécessaires pour mériter une récompense. Son ressentiment envers son supérieur commença à s'estomper, du moins par moments.

Le plus important, peut-être, c'est qu'il avait rencontré une jeune femme extraordinaire avec qui il était en train de nouer une relation intéressante.

Tout semblait s'améliorer pour lui. Il était davantage maître de sa vie et se sentait plus énergique, plus confiant, plus fort et plus productif.

Il appréciait ce qu'il possédait, il accordait de l'attention aux choses importantes, et surtout il en retirait du *plaisir*.

Pas étonnant que le vieil homme ait déclaré que le présent était le cadeau le plus précieux qu'on pouvait s'offrir à soi-même !

Cependant, juste comme il pensait avoir appris à être dans le présent, un autre problème surgit.

Les ennuis apparurent au moment de la réalisation d'un projet dont il s'occupait avec une collègue. Cette personne faisait peu d'efforts et apportait peu d'idées. Plutôt que d'en discuter avec elle pour l'amener à faire sa part, ou d'en parler à son supérieur, le jeune homme prit sur lui toute la charge de travail.

Bientôt il accumula du retard, puis il rata une échéance.

Il s'agissait d'un projet primordial pour l'entreprise, et son supérieur se montra déçu.

Le jeune homme se dit qu'il avait échoué. Sa confiance en ses nouvelles compétences commença à diminuer.

Où s'était-il trompé ? Pourtant, il croyait s'être absorbé entièrement dans le moment présent.

Le jeune homme, dépité, s'était assis à son bureau, tête baissée et dos courbé. Il se sentait fatigué.

Il se demanda ce que ferait le vieil homme dans une telle circonstance. Ne trouvant pas de réponse, il retourna le consulter.

Apprendre

L E vieil homme l'accueillit chaleureusement
en lui disant :

– Je t'attendais.

Le jeune homme amorça la discussion :

– Vous m'avez dit qu'en étant dans le présent,
je serais plus heureux et m'accomplirais mieux. Je
m'efforce de rester dans le présent, et j'en vois
déjà les bienfaits. Cependant, j'ai l'impression
que ce n'est pas suffisant.

– Cela ne m'étonne pas, répliqua le vieil
homme. Pour épouser parfaitement le présent, il
ne suffit pas de vivre dans le moment actuel.
Mais, j'espérais que tu découvres cette vérité par
toi-même.

Le vieil homme invita le jeune à lui faire part
de son problème. Puis, il résuma la situation :

– Alors, tu as réagi au manque de ·soutien de
l'autre personne en prenant tout le fardeau de la
tâche sur tes épaules plutôt que de tenter de régler
le problème.

Il lança ensuite une question :

— Ne m'as-tu pas déjà raconté avoir eu le même genre de réaction auparavant ?

— Oui, admit le jeune homme. J'ai toujours détesté la confrontation. Mon supérieur m'a dit que c'était l'une des raisons pour lesquelles j'avais de la difficulté à diriger une équipe.

Puis, il ajouta :

— Pas seulement au travail, d'ailleurs. Mon ancienne amie disait que j'ignorais nos problèmes, et c'est d'ailleurs une des causes de notre rupture. De temps à autre, je repense à la promotion que je n'ai pas obtenue. Je ne comprends pas pourquoi j'ai tant de difficulté à oublier cet événement.

— Ces mots t'aideront peut-être, lança le vieillard.

*Il est difficile
d'oublier le passé
si vous n'en avez pas
tiré une leçon.*

*Aussitôt que vous apprenez
et que vous lâchez prise,
vous améliorez le présent.*

Le jeune homme apprécia ces paroles :

— C'est très sensé.

Puis, il demanda :

— Me permettez-vous de changer de sujet ? J'aimerais savoir d'où vous tirez votre sagesse.

— Eh bien, j'ai travaillé de nombreuses années dans une organisation intéressante, répondit le vieil homme en riant. J'écoutais ce que racontaient les gens à propos de leur travail et de leur vie en général. Certains éprouvaient des difficultés, tandis que d'autres réussissaient bien. Puis, j'ai remarqué des tendances récurrentes chez chacun.

Le jeune homme était curieux :

— Qu'avez-vous remarqué à propos des personnes qui vivaient des situations pénibles ?

Manifestement, le jeune homme traversait une période difficile. Le sage le lui fit d'ailleurs remarquer :

— Il est révélateur que tu ne te sois pas d'abord enquis des gens qui allaient bien.

— Oh là là ! s'exclama le jeune homme.

– Oh là là, en effet. Peut-être devrais-tu en chercher la raison. Je sais que tu as des ennuis ; alors, démarrons de ce point, si tu le veux bien. Parmi les gens qui éprouvaient des difficultés, un bon nombre se tourmentaient à propos des erreurs qu'ils avaient commises ou qu'ils craignaient de commettre, poursuivit le vieil homme. Certains étaient en colère à cause d'un événement survenu au travail.

Le jeune homme intervint :

– Je sais de quoi vous parlez.

– Les personnes qui avaient du succès se concentraient sur leur tâche du moment. Comme tout le monde, il leur arrivait de faire des erreurs, mais elles étaient capables d'en tirer une leçon, puis d'aller de l'avant. De plus, elles ne s'attardaient pas trop sur ce qui n'allait pas.

Le vieil homme continua :

– Il semble qu'au lieu d'apprendre de ton passé tu aies choisi de ne pas en tenir compte. Bien des gens évitent de considérer le passé, craignant d'en être troublés. Ils affirment, par exemple, que leurs expériences passées les a menés là où ils sont maintenant. Ils ne se demandent pas où ils seraient aujourd'hui s'ils avaient analysé leurs expériences et tiré profit de leurs erreurs. Ainsi, ils apprennent peu de choses ou rien du tout.

— Donc, comme moi, ils répètent les mêmes erreurs, constata le jeune homme. Dans ces domaines, leur présent est identique à leur passé.

— Très bien formulé, approuva le vieil homme. Lorsque nous n'utilisons pas les sentiments que nous avons éprouvés dans le passé pour apprendre de nos expériences, nous perdons la joie du présent. Cependant, dès que nous tirons une leçon du passé, il nous est plus facile de profiter du présent. Même s'il est vrai qu'il faut éviter de vivre dans le passé – puisqu'ainsi nous ne sommes *pas* dans le présent –, il est essentiel de l'*utiliser* pour apprendre de nos erreurs. Et si nous avons bien réussi par le passé, il faut en voir le pourquoi et progresser à partir de nos succès.

Le jeune homme, confus, demanda :

— Quand dois-je être dans le présent et quand dois-je apprendre du passé ?

— Voilà une bonne question. Écoute bien ceci :

Chaque fois que vous vous sentez
malheureux ou vaincu
dans le présent,

il est temps
d'apprendre du passé
ou de planifier le futur.

Puis, le vieil homme ajouta :

– Seulement deux choses peuvent te dérober la joie du présent : les pensées négatives qui concernent le passé et celles qui concernent le futur. Tu trouveras probablement très utile de commencer par examiner ce que tu penses de ton passé.

Plus tard, nous considérerons le futur.

Le jeune homme acquiesça :

– Ainsi, chaque fois qu'il me semble qu'un phénomène m'empêche d'apprécier le présent et d'obtenir du succès, je dois me tourner vers le passé afin d'en tirer une leçon.

– Oui. Chaque fois que tu désires améliorer le présent par rapport au passé, il est temps d'apprendre. Quand le passé fait naître de la contrariété ou tout autre sentiment négatif qui interfère avec le présent, tu dois prendre le temps d'en tirer un enseignement.

– Pourquoi les moments où j'éprouve des sentiments négatifs seraient-ils propices à l'apprentissage ? demanda le jeune homme.

– Parce que les sentiments sont de bons guides.

– Et comment je fais pour apprendre ?

Le vieil homme expliqua :

– La meilleure façon que je connaisse pour apprendre consiste à se poser trois questions et à y répondre avec honnêteté et réalisme. Voici ces questions :

Quels sont les événements qui sont survenus dans le passé ?

Quelles leçons en ai-je tirées ?

Comment puis-je agir différemment aujourd'hui ?

Le jeune homme précisa :

— Autrement dit, je pense à une erreur que j'ai commise dans le passé et je trouve un moyen de ne pas la répéter maintenant.

— Oui, mais ne sois pas trop sévère envers toi. N'oublie pas que tu as agi au meilleur de tes connaissances à cette époque. Maintenant que tu as des connaissances plus approfondies, tu peux t'améliorer.

— Ainsi, conclut le jeune homme, lorsque nous agissons de la même manière, nous obtenons les mêmes résultats et, lorsque nous agissons différemment, les résultats dont différents.

— Oui, et il y a une bonne nouvelle à ça, approuva le vieil homme. Plus nous apprenons du passé, moins nous avons de regrets et plus nous avons de temps à consacrer au présent.

Avant de laisser son vieil ami, le jeune homme prit quelques notes :

*Examinez ce qui est arrivé
dans le passé.*

*Tirez-en
une précieuse leçon.*

*Et servez-vous-en
pour améliorer le présent.*

Vous ne pouvez changer le passé,
mais il est une source d'apprentissage.

Quand une même situation se répète,
agissez différemment
et appréciez un présent
qui sera plus heureux et mieux réussi.

LE lendemain matin, en se rendant au travail, le jeune homme se rappela les paroles du vieux sage.

Ce jour-là, il s'appliqua à se concentrer totalement sur le moment présent et à chercher les occasions lui permettant de tirer des leçons du passé.

Lorsqu'une nouvelle fois sa collègue n'effectua pas sa part du travail il lui confia ses inquiétudes à ce propos.

Sur le coup, elle parut irritée et sur la défensive mais, à la fin de la rencontre, elle remercia le jeune homme pour son honnêteté. Elle comprenait l'importance que le projet soit mené à bien. Elle précisa même qu'elle avait hâte de relever le défi.

Le jeune homme était heureux d'avoir appris de l'expérience qu'il avait vécue dans le passé et d'avoir modifié son comportement. Au cours des semaines qui suivirent, profitant de cet enseignement, il devint encore plus efficace au travail.

Ses relations avec ses collègues s'amélioraient constamment. Son supérieur lui donna alors plus de responsabilités et, finalement, il obtint une promotion.

Du côté personnel, il passait de plus en plus de temps avec la jeune femme qu'il avait rencontrée et, pour les deux, la relation prenait de l'importance.

Tout allait bien au cours de cette période, autant dans sa vie professionnelle que dans sa vie personnelle.

Toutefois, comme son nouveau poste exigeait un nombre croissant d'heures de travail, il trouvait difficile de tout concilier parfaitement.

Il faisait souvent une pause pour prendre une grande respiration et se concentrer sur le moment présent, ce qui l'aidait énormément.

Cependant, plus de tâches l'attendaient au travail, matin après matin.

Il n'avait pas élaboré d'horaire journalier et avait de la difficulté à établir les priorités. Il consacrait trop de temps aux choses banales, négligeant ainsi les tâches les plus urgentes.

Il perdit bientôt le contrôle de ses projets. Lorsque son supérieur lui demanda de rendre des comptes, le jeune homme ne put que répliquer qu'il avait trop de travail et pas assez de temps pour l'effectuer. Son supérieur se mit à regretter de lui avoir offert cette promotion.

Découragé et confus, le jeune homme alla une fois de plus rencontrer son ami, le vieil homme.

Planifier

– **COMMENT** vas-tu ? lui demanda le vieil homme.

– Parfois bien, et parfois pas, répondit le jeune homme avec un sourire forcé.

Puis, il raconta ses tracas :

– Je ne comprends pas ! Pourtant, je me suis complètement immergé dans le présent. Les gens font d'élogieux commentaires sur ma capacité à me concentrer intensément sur ce que je suis en train de faire. De plus, j'ai tiré des leçons du passé en évitant d'entretenir des regrets. J'utilise ce que j'ai appris pour m'améliorer.

Pourtant, je n'arrive pas à tout gérer. Finalement, ce poste est peut-être trop exigeant pour moi.

– C'est probablement le cas en ce moment, dit le vieil homme en hochant la tête. Mais, tu as oublié qu'il te reste encore un aspect du présent à découvrir. Tu apprends de tes expériences passées et tu t'en sers pour améliorer le présent. De plus, en vivant entièrement dans le présent, je crois que tu apprécies davantage le monde qui t'entoure et que tu y es plus efficace. Tu fais donc d'immenses progrès. Cependant, tu n'as pas encore saisi l'importance du troisième élément : le futur.

— Mais quand je vis trop dans le futur je me sens angoissé, le jeune homme rétorqua-t-il. Je sais que, lorsque je rêve à la maison que je souhaite posséder, aux promotions que j'espère obtenir, ou encore à la famille que je veux fonder, je ne vis pas dans le présent. Et je me sens perdu.

— Même s'il n'est pas sage d'*être* dans le futur, puisqu'ainsi nous nous perdons dans l'inquiétude et l'angoisse, il est important de *planifier* le futur, dit le vieil homme. La seule façon de nous assurer que le futur sera meilleur que le présent, et ce, sans compter sur la chance, consiste à le planifier. Et même si la « chance » intervenait, elle pourrait disparaître à tout moment. Des problèmes plus graves pourraient alors surgir et nous pourrions nous retrouver devant une nouvelle problématique à démêler. Nous ne devons donc pas compter sur la chance. Planifier le futur diminue le doute et l'appréhension, car nous agissons activement en vue de réussir. Nous devenons alors conscients de nos actions et connaissons les raisons qui les sous-tendent.

Le jeune homme voulait des précisions :

— Comment la planification du futur est-elle liée au présent ?

— Quand nous sommes prêts pour le futur, répondit le vieillard, nous pouvons mieux apprécier le présent, et ce, sans aucune inquiétude. En planifiant, nous savons plus précisément ce qu'il faut faire chaque jour. Nous avons alors en main une carte routière qui nous permet de nous concentrer sur les gestes à poser dans le présent afin d'obtenir le futur que nous souhaitons.

— En planifiant le futur, nous pouvons donc être plus entiers dans le présent, résuma le jeune homme.

— Oui. Et il te faudrait peut-être penser ainsi :

*Personne ne peut prédire
ni contrôler le futur.*

*Cependant, mieux vous planifiez
ce que vous souhaitez,*

*moins vous ressentez d'angoisse
dans le présent*

*et plus vous connaissez
ce que vous réserve le futur.*

Le vieil homme continua :

— Le manque de planification, tant au travail que dans la vie personnelle, est la raison principale pour laquelle nous échouons dans la réalisation de nos objectifs et de nos rêves.

— À quel moment dois-je planifier le futur ?

— Chaque fois que tu désires améliorer le futur par rapport au présent.

Le jeune homme avait une autre question :

— Et, selon vous, quelle est la meilleure façon de procéder ?

— En réfléchissant à ces trois interrogations :

À quoi un futur heureux ressemblerait-il ?

Quel est mon plan pour y parvenir ?

Que vais-je faire aujourd'hui pour le favoriser ?

Le vieil homme poursuivit :

— Plus tu seras en mesure d'évoquer une image claire du futur que tu désires et plus tu croiras qu'il est réalisable, plus il te sera facile d'élaborer un plan. Une fois ton plan établi, il te faudra, à la lumière de l'expérience et des connaissances que tu acquerras, le réviser sans cesse afin de le rendre plus réaliste encore. Si tu veux être heureux dans le futur, il est essentiel pour toi d'*agir* chaque jour, même si tu as parfois l'impression de poser un geste banal.

Le jeune homme écrivit dans son calepin :

*Commencez dès aujourd'hui
à imaginer ce que serait
un futur merveilleux.*

*Créez un plan réaliste
pour y parvenir.*

*Exécutez votre plan
dans le présent.*

Une lueur brillait dans les yeux du jeune homme.

– C'est une bonne idée. J'ai constaté que, lorsque je ne prenais pas le temps de bien planifier mon travail, d'établir des objectifs et d'anticiper les embûches, je m'embrouillais. J'ai tendance à accorder trop d'attention aux choses insignifiantes et il me reste alors peu de temps pour ce qui importe vraiment. Je commence à comprendre que c'est la raison pour laquelle je me sens si souvent débordé. Je ne prends pas le temps de planifier d'abord et d'effectuer les tâches par la suite.

Le vieillard suggéra :

– Tu devrais peut-être considérer les trois parties du présent comme un trépied supportant une caméra sophistiquée, un trépied parfaitement équilibré sur ces trois supports : vivre dans le présent, apprendre du passé et planifier le futur. Si tu enlèves un support, le trépied bascule. Les trois éléments sont nécessaires pour maintenir la caméra en place. Il en va de même pour ton travail et ta vie personnelle. Toutefois, si tu n'es pas dans le présent, tu ne sauras pas ce qui s'y passe. Et, si tu n'as pas appris du passé, tu ne sera pas prêt à planifier le futur. Finalement, sans plan pour le futur, tu vas à la dérive. Lorsque tu équilibres ton travail et ta vie personnelle sur le trépied du présent, du passé et du futur, tu as une meilleure vision des choses. De plus, tu es mieux préparé à affronter toutes les circonstances que la vie pourrait t'apporter.

GARDANT à l'esprit ce que le vieil homme venait de lui enseigner, le jeune homme retourna au travail. Il se sentait stimulé et avait les idées plus claires.

Chaque matin, il planifiait sa journée, conscient qu'il lui serait ainsi plus facile d'atteindre ses objectifs. Toutefois, il conservait suffisamment de souplesse pour faire face aux imprévus. Il se donnait aussi des objectifs hebdomadaires et mensuels.

Longtemps avant les réunions, il faisait le bilan des tâches à accomplir.

Conscient des échéances, il établissait un plan de travail détaillé en attribuant un temps d'exécution pour chacune des tâches.

Dans sa vie personnelle, il recourait aussi à ce genre de planification. Il notait ce qu'il devait faire dans son agenda et organisait son temps en conséquence.

Lorsqu'il rendait visite à ses amis, il prévoyait le temps de déplacement nécessaire afin d'éviter tout retard. À la maison comme au travail, il abandonna la fâcheuse habitude d'attendre au dernier moment pour agir.

En planifiant le futur, et en utilisant ses données pour tirer le maximum du présent, il était davantage en mesure de motiver les autres et d'accomplir de plus en plus de choses. Jamais il ne s'était senti aussi heureux et maître de sa destinée.

Le temps passa et, s'apercevant qu'il était encore plus productif, son supérieur lui accorda une autre promotion.

Plus important encore, le jeune homme s'était engagé dans une relation sérieuse avec sa partenaire, et ils planifiaient ensemble leur futur.

Au travail, le jeune homme mettait chaque jour à profit ce qu'il avait appris : demeurer dans le présent, apprendre du passé et planifier le futur.

Et il profitait des bienfaits de l'application de ces principes. Il excellait au travail, jouissait du respect de ses collègues et se sentait prêt à relever la plupart des défis.

Un jour, il assista à une réunion de planification budgétaire. Il savait que les ventes des produits de l'entreprise déclinaient. L'économie était au ralenti, mais il devait admettre que certains concurrents offraient de plus bas prix pour de meilleurs produits.

Il ne fut donc pas surpris lorsque les gens du service de la gestion financière recommandèrent une compression générale des coûts. Comme plusieurs autres chefs de section, il allait donc perdre des employés et d'autres ressources importantes.

Pendant la réunion, son attention était centrée sur ce qui se déroulait. Il entendit quelqu'un affirmer que les banquiers avaient suggéré l'élimination du secteur onéreux de la recherche et du développement, et ce, pour une période d'au moins un an. Cette mesure pourrait faire épargner beaucoup d'argent rapidement. Nombre de personnes qui assistaient à la rencontre trouvèrent qu'il s'agissait d'une idée géniale.

Cependant, une femme avança que la solution proposée ne réglait pas le véritable problème. Elle exprima tout haut ce que le jeune homme pensait tout bas.

Ce dernier se décida et prit la parole :

— Le véritable problème ne serait-il pas que nos produits actuels ne sont pas d'aussi bonne qualité que ceux de nos concurrents ? Il est vrai que, si nous réduisons les dépenses en R.-D., nous épargnerons de l'argent à court terme. Mais, si nous n'investissons pas en nous-mêmes et que nous ne réussissons pas à concevoir d'excellents nouveaux produits pour le futur, l'entreprise sera en danger et risquera de devoir fermer ses portes dans quelques années.

Ses commentaires provoquèrent une discussion animée au sein du groupe.

Au cours de la même semaine, à la demande de son supérieur, le jeune homme rédigea un rapport sur les attentes des clients concernant de nouveaux produits. En décrivant les produits potentiels, il avait une image claire de ce que pourrait être un futur formidable pour l'entreprise.

Au cours des mois qui suivirent, plusieurs employés s'attelèrent à la tâche pour créer les produits que les clients souhaitaient.

Bien que l'ensemble des nouveautés ne répondirent pas nécessairement aux attentes des consommateurs, l'une d'elles connut un énorme succès et permit à l'entreprise de retrouver la voie de la rentabilité.

Le jeune homme était heureux d'avoir appris à planifier le futur. Aujourd'hui, lui-même et son entreprise en bénéficiaient.

Au fil des ans, le jeune homme devint un homme d'âge mûr.

Il avait conservé son amitié pour le vieux sage, qui était content de le savoir plus heureux et plus prospère.

Un jour cependant, l'inévitable se produisit. Le vieux sage mourut. La voix de sa sagesse s'éteignit.

L'homme était abasourdi. Il ne savait comment réagir.

Quelques personnages importants de la ville assistèrent aux obsèques, de même que des garçons et des filles qui étaient membres des associations parrainées par le vieil homme.

Nombreux furent ceux qui prirent la parole pour raconter des histoires fascinantes à propos du défunt. Apparemment, le vieil homme avait aidé plusieurs personnes durant sa vie terrestre.

Tandis qu'il écoutait les différents propos, l'homme se rendit compte que le vieillard était un personnage extraordinaire et qu'il avait transformé la vie de beaucoup de gens.

Une idée lui vint à l'esprit : « Que pourrais-je faire pour ressembler davantage au vieil homme et venir en aide à d'autres gens ? »

CHERCHANT toujours la réponse à cette question, il retourna dans le quartier où, petit garçon, il avait vécu tant de moments heureux.

Quelques années auparavant, ses parents avaient déménagé dans un autre quartier, et il n'était revenu sur ces lieux que pour rendre visite au vieil homme.

La maison du vieillard était maintenant vide et une pancarte « À vendre » était plantée dans la pelouse. Il jeta un coup d'œil sur la balançoire de la véranda sur laquelle le vieil homme aimait tant passer ses soirées.

Il s'avança pour s'asseoir avec précaution dans cette balançoire dont les vieilles chaînes menaçaient de lâcher à tout moment. Puis, il s'adossa contre les planchettes de bois usées du siège. Le seul bruit audible était celui du grincement de la balançoire.

Il repensa à tous les enseignements que le vieil homme lui avait transmis.

Maintenant, il savait qu'il pouvait demeurer plus souvent dans le présent, se concentrer sur ce qui se passait au moment même et accorder son attention à ce qui avait de l'importance aujourd'hui. Et il constatait que cela lui était grandement profitable.

Chaque fois qu'il s'absorbait entièrement dans la tâche du moment, il se sentait plus heureux et définitivement plus efficace.

Il utilisait les leçons du passé pour améliorer le présent. Il ne refaisait pas souvent les mêmes erreurs.

Il s'était aperçu qu'en planifiant le futur il pouvait le rendre plus agréable. Il avait cependant l'impression qu'il lui fallait mettre toutes ses connaissances en perspective, surtout depuis que le vieil homme n'était plus là pour le guider.

L'homme ferma les yeux et se balança doucement, totalement immergé dans le présent. Il se sentait en paix. Peu à peu, il ressentit une présence à ses côtés, celle du vieil homme, comme si ce dernier avait été assis près de lui.

Il eut l'impression d'entendre le vieillard reprendre leurs nombreuses conversations. Il prenait une fois de plus conscience de la sagesse des paroles du vieil homme et de sa chaleureuse compassion.

Il se demandait pourquoi le vieillard avait consacré tant de temps à l'aider, et à aider les autres, à découvrir le présent.

Le vieil homme était pourtant très occupé. Pourquoi avait-il donc choisi de prendre du temps pour partager le présent avec les autres plutôt que de se consacrer à des activités plus personnelles ?

Les yeux clos, l'homme se berçait toujours et son énergie était maintenant canalisée sur cette question. Lentement, graduellement, la réponse émergea.

Le vieil homme avait agi ainsi parce que son but transcendait celui du seul intérêt personnel. Son but – la raison pour laquelle il se levait chaque matin – était d'aider les autres à être plus heureux et à s'accomplir davantage.

En fait, jamais le vieil homme n'oubliait l'objectif qu'il s'était donné. Quand, par exemple, il parlait du présent, dirigeait une session de travail ou s'adonnait à des loisirs en famille, il avait toujours en tête la réalisation de son but.

Cet objectif englobait le présent, le passé et le futur… et donnait un sens à son travail et à sa vie.

L'homme ouvrit les yeux. Il venait de comprendre ! Il tenait maintenant le fil conducteur.

Il prit son carnet de notes et y inscrivit :

« *Vivre dans le présent, apprendre du passé et planifier le futur n'est pas tout ce qui compte. Ce n'est qu'en ayant un but à réaliser, au travail et dans la vie en général, et en tenant compte de ce qui importe dans le présent, le passé et le futur que tout prend un sens.* »

Il s'arrêta pour relire les mots qu'il venait d'écrire et réfléchir à leur sens.

Il comprit que vivre en fonction d'un but à réaliser exigeait non seulement de savoir *quoi* faire, mais aussi de comprendre *pourquoi* on devait le faire.

Travailler et vivre dans cette intention ne représente pas un projet ou un plan de vie qui soit démesuré. C'est tout simplement une approche pratique pour gérer la vie au quotidien.

C'est se lever le matin et prendre conscience du sens que prendront, tant pour soi que pour les autres, les actions qu'on posera au cours de la journée.

L'homme comprit :

Vos actions
dépendent de votre but.

Si vous voulez être plus heureux
et connaître plus de succès,
il est temps d'être
dans le moment présent.

Si vous voulez que le présent
soit meilleur que le passé,
il est temps
d'apprendre du passé.

Si vous voulez que le futur
soit meilleur que le présent,
il est temps
de planifier le futur.

Quand un but
guide votre vie et votre travail,

et que vous tenez compte
de ce qui a de l'importance maintenant,

il est plus facile
de diriger, de gérer, d'offrir du soutien,
de vous faire des amis et d'aimer.

L'homme prit conscience qu'il devait maintenant planifier son futur sans l'aide du mentor en qui il avait tant confiance. Il se demandait s'il avait suffisamment de connaissances.

Puis, il sourit. Il devinait ce qu'aurait dit le vieil homme :

« *L'homme en sait suffisamment. Il a suffisamment. Il est suffisamment. Certaines personnes choisissent de recevoir le présent quand elles sont jeunes ; d'autres, quand elles ont un âge moyen ; d'autres encore, quand elles sont vieilles. Plusieurs personnes ne font jamais ce choix.* »

Tout en continuant de se bercer sur la véranda, notre homme choisit de revenir au présent pour l'instant. Il avait trouvé son but. Il partagerait ce qu'il avait appris avec les autres !

Il se sentit heureux et accompli. Il savait maintenant que le succès ne signifiait pas la même chose pour chaque personne.

Ce pouvait être de jouir d'une vie plus paisible, d'effectuer un travail plus satisfaisant, de passer du bon temps en famille ou entre amis, d'obtenir une promotion, de profiter d'une bonne forme physique, de gagner plus d'argent ou simplement d'être un honnête homme qui aide les autres.

Grâce à ce que le vieil homme lui avait enseigné et à ce qu'il avait découvert par lui-même, il réalisa ceci :

*Le succès consiste
à se réaliser selon son potentiel.*

*C'est aussi progresser
vers des objectifs valables.*

*Chacun d'entre nous définit
ce que, pour lui, signifie
avoir plus de succès.*

L'homme se rendit compte qu'il avait appris à utiliser les outils pouvant, dès *aujourd'hui*, donner à toute personne plus de bonheur et plus de succès.

C'était si simple, pensa-t-il. Le présent, assisté des leçons du passé et des objectifs fixés pour le futur, le nourrissait.

En vivant selon ce qu'il expérimentait dans le présent, il s'accomplissait davantage.

Il se concentrait sur ce qui était important au moment présent. Il était capable de reconnaître les chances et les défis qui se présentaient et d'en tirer profit. Il appréciait ses collègues, sa famille et ses amis.

N'étant qu'un être humain, il s'aperçut aussi qu'il ne pourrait continuellement demeurer dans le présent, que de temps en temps celui-ci lui échapperait. Dans ces cas, il se rappellerait d'y revenir.

Le présent serait toujours là pour lui. Il pourrait s'offrir ce cadeau chaque fois qu'il le désirerait.

L'homme décida de rédiger un résumé de ses nouvelles connaissances. Il le conserverait sur son bureau dans un endroit bien en vue, là où chaque jour il pourrait facilement le consulter.

Le Présent

TROIS FAÇONS D'UTILISER LE
MOMENT PRÉSENT DÈS AUJOURD'HUI !

SOYEZ DANS LE PRÉSENT

*SI VOUS VOULEZ ÊTRE PLUS HEUREUX
ET OBTENIR PLUS DE SUCCÈS,*

**Concentrez-vous sur ce qui importe maintenant.
Ayez votre but à l'esprit
pour déterminer ce qui est important
présentement.**

APPRENEZ DU PASSÉ

*SI VOUS VOULEZ QUE LE PRÉSENT SOIT
MEILLEUR QUE LE PASSÉ,*

**analysez les événements du passé.
Tirez-en de précieuses leçons et
agissez différemment dans le présent.**

PLANIFIEZ LE FUTUR

*SI VOUS VOULEZ QUE LE FUTUR SOIT
MEILLEUR QUE LE PRÉSENT,*

**imaginez à quoi ressemblerait un futur
merveilleux.
Élaborez un plan pour y parvenir et
amorcez sa réalisation dans le présent.**

Au fil des ans, l'homme mit constamment en pratique ce qu'il avait appris.

Il s'aperçut qu'il ne réussissait pas toujours à rester dans le présent. Toutefois, utiliser le présent aujourd'hui pour être plus heureux et plus prospère était devenu peu à peu un mode de vie pour lui.

En cours de route, il s'adaptait aux circonstances du moment et il s'améliorait continuellement.

Il reçut de nombreuses promotions.

Finalement, il devint chef de son entreprise. Son entourage le respectait et l'admirait.

En sa présence, les gens se sentaient pleins de vie et bien dans leur peau.

Il savait écouter mieux que quiconque. Il prévoyait les problèmes et décelait rapidement les solutions afin de les résoudre.

Sur le plan personnel, il avait fondé une famille unie. Son épouse et ses enfants l'aimaient autant qu'il les aimait.

En fait, sous plusieurs facettes, il ressemblait beaucoup au vieil homme qu'il avait tant admiré.

L'homme aimait partager ses connaissances sur le présent avec les autres personnes de son entourage. Il était conscient qu'un grand nombre d'individus aimaient cette histoire et en bénéficiaient, alors que d'autres ne s'y intéressaient pas.

Il comprit que, de toute évidence, c'était à chacun de décider pour soi.

Un matin, un groupe d'employés récemment embauchés se réunirent dans son bureau. Il avait l'habitude d'accueillir personnellement toutes les nouvelles recrues.

Une jeune femme remarqua le résumé encadré intitulé *Le présent*. Elle dit alors :

– J'aimerais savoir pourquoi vous gardez ce texte sur votre bureau.

– C'est le résumé d'une histoire pratique et inspirante, répondit-il, que m'a transmise un homme extraordinaire. Elle raconte comment être plus heureux et obtenir plus de succès dès aujourd'hui, au sens le plus large de ces mots. Il m'est très utile.

Quelques personnes du groupe jetèrent un coup d'œil sur le résumé.

– Puis-je le voir ? demanda la jeune femme.

– Bien sûr, répliqua l'homme en lui tendant le résumé.

La jeune femme le lut lentement, puis le passa aux autres.

Ensuite, elle commenta :

– Il me semble que cela pourrait m'être très utile dans la situation que je vis présentement.

En remettant le résumé à l'homme, elle lui demanda de conter l'histoire.

Le groupe se rassembla autour de la table de conférence et l'homme narra l'histoire du présent. Il distribua ensuite des exemplaires du résumé qu'il gardait sur son bureau et déclara :

– J'espère que les enseignements de cette histoire seront aussi profitables pour vous qu'ils l'ont été pour moi.

Dans les mois qui suivirent, l'homme remarqua que certains de ses nouveaux employés semblaient vivre dans le présent ; ils progressaient. D'autres étaient plutôt sceptiques ou avaient carrément fait fi de l'histoire.

Un jour, la jeune femme qui l'avait invité à parler du présent se présenta à son bureau.

Elle était maintenant responsable d'un plus grand nombre de tâches et elle excellait dans son travail. Elle lui dit :

– Je voulais simplement vous remercier pour m'avoir fait connaître l'histoire du présent. Je garde sur moi une copie du résumé que vous m'avez donné et je la consulte fréquemment. Ce texte m'est inestimable.

Puis, elle quitta son bureau.

Au fil du temps, la femme partagea cette histoire avec sa famille, ses amis et ses collègues.

Beaucoup de personnes, et les organisations dans lesquelles elles œuvraient, connurent le succès après avoir pris connaissance de l'histoire.

L'homme était heureux de constater que les connaissances qu'il avait acquises du vieil homme servaient à la génération suivante.

PLUSIEURS décennies passèrent et l'homme heureux, prospère et respecté devint lui-même un vieil homme.

Ses enfants avaient grandi et avaient fondé leur propre famille. Son épouse était sa meilleure amie et sa compagne la plus proche.

Même s'il ne travaillait plus au sein de son entreprise, le présent continuait de lui fournir une abondante énergie. Son épouse et lui se consacraient généreusement à des missions pouvant aider leur communauté.

Un jour, un jeune couple ayant une petite fille déménagea dans leur rue. Peu de temps après, cette famille vint les visiter.

La petite fille aimait écouter « le vieil homme », comme elle en vint à le surnommer. Elle trouvait sa compagnie agréable. Il avait quelque chose de spécial, mais elle ignorait ce que c'était. Il paraissait radieux et, avec lui, elle se sentait plus heureuse et mieux dans sa peau.

Elle se posait des questions : « Qu'est-ce qui le rend si spécial ? Comment une personne si vieille peut-elle être aussi rayonnante ? »

Un jour, elle lui demanda de répondre à ses interrogations. Le vieil homme sourit. Puis, il lui raconta l'histoire du présent.

La petite fille fut enchantée.

Tandis qu'elle le quittait en courant pour retourner jouer, le vieil homme l'entendit s'exclamer :

– Oh là là ! J'espère qu'un jour quelqu'un m'offrira…

Le Présent !

.

Après l'histoire

Après l'histoire

Bill, d'une voix calme, annonce :

– Voilà ! C'était l'histoire du vieux sage.

– J'en avais tant besoin, répond Liz.

Elle demeure silencieuse pendant quelques instants en réfléchissant à l'histoire qu'elle vient d'entendre. Puis, elle ajoute :

– Comme tu l'as probablement remarqué, j'ai pris de nombreuses notes. De toute évidence, il y dans cette histoire matière à réflexion. J'aime l'idée de devoir me concentrer sur ce qui se passe maintenant et en tirer des bénéfices le *jour même* ! J'ai toujours cru que le succès consistait à atteindre un objectif final. Cependant, il est utile de constater que nous pouvons connaître plus de succès simplement en progressant *un jour à la fois* vers ce qui est important pour nous. Il n'est pas nécessaire que le résultat arrive tout d'un coup. C'est plus facile de cette façon.

Encore quelque peu songeuse, elle continue :

– Merci beaucoup, Bill, de m'avoir raconté cette histoire. Je vais tenter de l'appliquer dans ma vie au quotidien pour voir ce qu'elle pourra m'apporter. Plus tard, pourrons-nous à nouveau discuter ensemble ?

– Bien sûr, lui répond-il.

Liz fait quelques plaisanteries et, avant de quitter Bill, elle le salue :

— Il m'a fait plaisir de te rencontrer.

À ce moment, Bill se demande ce que son amie avait bien pu retenir de l'histoire du sage.

Il fallut un certain temps avant qu'il n'ait une réponse à cette question.

Un matin, au sortir d'une réunion hebdo-madaire avec une équipe de travail, Bill prend connaissance d'un message de Liz sur sa boîte vocale.

— Bill, j'aimerais que nous lunchions ensemble bientôt. Es-tu disponible ?

Quelques jours plus tard, Bill retrouve Liz au restaurant. Elle n'a plus l'air fatiguée et ne montre aucun signe d'angoisse. Bill ne peut s'empêcher de s'exclamer :

— Tu es resplendissante, Liz. Quoi de neuf dans ta vie ?

— Tu te souviens de l'histoire que tu m'as racontée, *Le présent* ?

— Évidemment que je m'en souviens.

— Eh bien, il m'est arrivé plusieurs choses depuis et j'ai eu envie de t'en parler. Quand nous nous sommes rencontrés l'autre jour, j'ai trouvé que tu avais beaucoup changé depuis l'époque où nous travaillions ensemble. Et pour le mieux ! Malgré certaines réserves, j'ai beaucoup médité sur l'histoire du vieil homme. De toute évidence, elle t'avait beaucoup aidé.

— À ce sujet, il n'y a aucun doute, elle a changé ma vie, de répondre Bill.

— Laisse-moi te raconter quelques-unes des expériences que j'ai vécues depuis notre dernière rencontre, ajoute Liz.

— Je t'écoute avec plaisir, dit Bill.

— Quelques jours plus tard, alors que j'étais au travail, j'ai médité sur le contenu de cette histoire. Ma supérieure me faisait subir énormément de stress. J'étais débordée et fatiguée. Elle me pressait d'apporter des changements à notre plan de marketing. Selon moi, ces modifications n'étaient pas nécessaires. Et, puisque j'avais tellement d'autres tâches à accomplir, je pense que je lui en voulais de me confier cette responsabilité. Elle parlait constamment de l'économie et du marché en transition en répétant qu'il fallait nous adapter. Mais, je refusais de l'écouter. Elle ressassait depuis longtemps le même refrain : notre plan de marketing devait être révisé. Un jour, elle a ajouté que j'étais assise sur mes lauriers, que je me reposais sur mes succès passés.

— Avait-elle raison de te faire de telles remontrances, lui demande alors Bill.

– J'ai d'abord refusé d'entendre ce qu'elle disait, consciente que j'avais bien d'autres chats à fouetter. Puis, je me suis rappelé la partie de l'histoire où le vieil homme disait : « Tu peux apprendre du passé, mais il n'est pas sage d'y demeurer. » Je me suis alors demandé si je n'étais pas restée trop accrochée au passé. De plus, je m'inquiétais beaucoup à propos du futur ; je ne me sentais pas prête à l'affronter.

Elle esquisse un large sourire et continue :

– Je suppose que j'ai passé presque tout mon temps ailleurs que dans le présent ! Tu sais, j'ai repensé à cette histoire, surtout à la dernière partie.

– Quelle partie ? demande Bill.

– Quand l'homme se rend compte que vivre dans le présent signifie être sans cesse conscient de son but, garder en tête l'intention qu'on poursuit et *agir* en conséquence. Au début, j'ai eu de la difficulté à comprendre. Puis, je me suis aperçue que, de temps en temps, je m'arrêtais pour me demander quel était mon but immédiat et ce que je pouvais faire pour le réaliser. C'est alors que j'ai relu mes notes et que je les ai réécrites de manière plus claire. J'ai aussi noté comment je pouvais mettre en application ce que j'avais appris. Puis, j'ai fait des essais.

– De quels genres d'essais parles-tu, demande alors Bill.

– La première se passa un matin au petit-déjeuner. Mon fils, selon son habitude, voulait retenir mon attention. Tous les jours ou presque, lorsqu'il tentait de me parler, je lui répondais machinalement que j'étais « trop occupée ». Or, ce matin-là, je me suis concentrée sur le présent, j'ai pris conscience que le but du moment était celui d'être une bonne mère et j'ai accordé à mon fils toute l'attention qu'il méritait. J'étais vraiment présente pour lui. Je l'ai écouté me dire ce qui importait à ses yeux à l'instant précis, ce qui nous a rendus plus heureux tous les deux. Maintenant, nous vivons souvent de tels moments. Il est étonnant de constater que vivre dans le présent nécessite si peu d'efforts et apporte tant de bien-être.

Elle s'empresse de conclure en ajoutant deux petits mots très importants à ses yeux :

– Oui ! Aujourd'hui !

Bill riait à pleines dents et Liz de continuer :

– L'effet puissant de ce récit me surprend. Il m'a beaucoup influencée, de même que les autres personnes à qui je l'ai conté.

– Les autres personnes ? demande Bill, l'air un peu surpris.

– Eh bien par exemple, un jour l'un de nos
employés modèles du service des ventes avait l'air
déprimé. Je lui ai donc suggéré que nous prenions
un café ensemble. Quand j'ai voulu savoir ce qui
le tracassait, il s'est plaint que ses commissions
avaient diminué de moitié par rapport à celles de
la même époque l'année précédente. Je l'ai
interrogé sur les causes de cette diminution. Il m'a
répondu que le marché était très mauvais
actuellement et que personne n'arrivait à avoir un
bon chiffre de ventes dans une telle situation.
Puis, il s'est vraiment énervé et m'a révélé :
« Mon supérieur pense que mes ventes ont
diminué parce que je fais moins d'efforts
qu'auparavant. Je n'arrive pas à le croire. J'ai
rapporté beaucoup d'argent à l'entreprise l'an
dernier. Cela ne compte-t-il plus ? »

– Qu'a tu fais devant une telle situation,
demande Bill.

– Il y a déjà plus de trois semaines, je lui ai
donc raconté l'histoire du présent. Récemment,
tout souriant, il est venu me rendre visite à mon
bureau. Je lui ai demandé pourquoi il affichait ce
si beau sourire.

– Que t'a-t-il répondu, de s'enquérir Bill.

– Il s'est exclamé : « Je viens tout juste de
conclure une énorme vente. » Nous avons discuté
un moment et il m'a confié qu'il allait mieux

parce qu'il avait appris à délaisser le passé pour vivre davantage dans le présent.

— La révélation, quoi ! dit Bill, étonné par le récit de Liz.

— Il m'a confié que, lorsqu'il pensait à ses gains des années antérieures et qu'il les comparait aux gains actuels, il éprouvait de la colère et ses clients le ressentaient. Par la suite, il m'a expliqué que maintenant, chaque fois qu'il perçoit un regard négatif sur le visage d'un client, il s'arrête un moment pour prendre conscience de ses propres pensées et se rappeler combien il est difficile de conclure une vente cette année par rapport à l'an dernier. Il se demandait quel objectif il était en train de poursuivre à ce moment : augmenter son quota de vente ou répondre aux besoins de la clientèle. Le plus souvent, il réalisait que ses préoccupations ne coïncidaient pas avec ce qui importait aux yeux de ses clients. Il a compris qu'il devait aider ces derniers à obtenir les produits qui répondaient à leurs besoins.

— Quelle progression dans sa façon d'aborder les problèmes de travail ! constate alors Bill.

— De plus, il m'a confié qu'en oubliant le passé pour s'engager à fond dans le présent il pouvait se concentrer sur les façons dont il pouvait aider les clients à satisfaire leurs besoins immédiatement —

rien d'autre. Quand il adoptait cette vision des choses, voilà que les ventes se concluaient plus souvent.

Après une légère pause, Liz continue de raconter :

— Il a découvert qu'il n'avait qu'à donner le meilleur de lui-même au *quotidien*, que son pouvoir se limitait à cela. Il m'a affirmé que cette attitude l'aidait énormément. Dès qu'il s'en était rendu compte, son stress avait diminué. Soudain, il appréciait à nouveau son travail. Il a noté plusieurs passages de l'histoire — du moins à la façon dont il s'en souvenait — et il les a affichés sur le mur de son bureau. Je les ai vus.

Bill regarde son amie en souriant et questionne :

— C'est merveilleux. As-tu parlé du présent à d'autres personnes ?

— Effectivement, je l'ai fait ! de répondre Liz. Ma meilleure copine de travail a vécu un divorce pénible il y a quelque temps. Elle en est sortie blessée, en colère, et son rendement s'en est ressenti. Elle s'absentait souvent et avait pris du retard dans certains projets. Son supérieur était déçu d'elle. Un soir, je suis allée chez elle et nous avons discuté pendant un bon moment. J'ai fini par lui raconter l'histoire du présent.

– Tu la racontes à tout le monde, cette histoire, dit Bill en riant aux éclats.

– Quelques jours plus tard, mon amie a posé un bol sur mon bureau. Elle m'a annoncé que, chaque fois qu'elle ne serait pas dans le présent ou qu'elle se mettrait à penser à son divorce et à la colère qu'elle ressentait envers son ex-mari, elle viendrait y déposer un dollar. Elle ajouta que, lorsqu'elle cesserait d'y déposer de l'argent, nous irions au restaurant avec le montant accumulé. Elle était certaine que celui-ci suffirait à payer un repas gastronomique.

– Elle n'avait pas tellement confiance en ses moyens, lui fait remarquer Bill.

– Les premières semaines, elle venait dans mon bureau pratiquement toutes les heures pour lancer dans le récipient un, deux ou trois dollars et rendre compte ainsi des occasions où elle s'était laissé aller à penser à la façon dont les choses auraient pu ou dû se passer avec son ex-mari. Puis, peu à peu, la fréquence des visites a diminué. Aussi incroyable que cela puisse-t-il paraître, le bol n'a reçu aucune contribution cette semaine.

– Et adieu le repas gastronomique, dit Bill en ricanant.

– L'autre jour, elle m'a révélé qu'en posant des gestes concrets, plus précisément en mettant des pièces de monnaie dans le bol, elle a compris tout le temps et l'argent qu'elle gaspillait à ruminer le passé et tout le tort qu'elle se faisait à elle-même. Elle n'arrivait plus à se concentrer au travail, ses amis en avaient assez de l'entendre se plaindre et elle manquait d'énergie. Elle se comportait comme si le but de sa vie avait été de croupir dans la peine et la colère, plutôt que d'aller de l'avant et d'améliorer son sort.

— Elle avait plutôt une sombre perspective du futur, constate Bill.

— Elle m'a dit que plus elle tirait de leçons du passé et plus elle lâchait prise, mieux elle arrivait à se concentrer sur le présent. Elle trouvait particulièrement utile l'idée de se représenter, aujourd'hui, ce que serait pour elle un futur merveilleux.

— Un grand pas en ce qui concerne le sens à donner à sa vie, dit Bill.

— Maintenant, quand elle est dans sa voiture en revenant du travail, elle planifie la soirée qu'elle va passer avec ses enfants. Elle imagine ce qu'elle fera des prochaines heures avec sa famille. Elle se dit qu'elle évitera de se laisser distraire par le journal ou la télé. Elle se perçoit comme étant plus détendue, capable de jouir de son foyer et de prendre plaisir à jouer son rôle de mère affectueuse.

– Quel changement d'attitude ! de constater Bill.

– Elle est étonnée de constater à quel point tout va mieux à la maison actuellement. Est-il nécessaire de préciser que mon amie donne aussi un bien meilleur rendement au travail ? Plusieurs personnes l'ont remarqué, entre autres son supérieur.

– Voilà d'excellents résultats, dit Bill.

– Ce matin, elle est venue à mon bureau pour m'annoncer : « Je crois bien que, la semaine prochaine, nous dégusterons un bon repas… à mes frais ! »

– C'est fantastique, Liz, ne peut que s'exclamer Bill.

– N'est-ce pas ? dit-elle.

Puis, elle ajoute :

– J'ai raconté à mon mari à quel point tout allait mieux au travail pour moi et mes collègues. Je lui ai dit que c'était en grande partie à cause de ce que nous avions appris du présent. Mon mari se fait constamment du souci en se demandant, par exemple, comment nous réussirons à payer les études des jumeaux, même si actuellement ils n'ont que cinq ans. À son travail, il est obsédé par les promotions et les augmentations de salaire car il veut acheter une maison plus grande. Et, il craint déjà de manquer d'argent au moment de la retraite.

— En voilà un autre qui vit dans le futur et qui oublie le présent.

— J'apprécie qu'il se sente responsable de notre famille, mais je m'aperçois qu'il devient trop stressé, même s'il ne s'en rend pas toujours compte.

— Il n'est pas le seul à vivre cette situation.

— Il y a longtemps que je souhaitais lui raconter l'histoire du présent, mais j'étais déterminée à attendre le bon moment. Un soir, il m'a questionnée à ce sujet. Je lui ai donc servi une coupe de son vin favori avant d'entamer le récit. Je n'étais pas certaine de capter toute son attention mais, quand j'ai eu terminé, il a dit : « Ce que j'aime dans cette histoire, c'est que, lorsque nous le planifions, le futur devient moins inquiétant ; nous le connaissons mieux. » Ensuite, il a cité le vieil homme : « *Il est important de planifier le futur si vous voulez que le futur soit meilleur que le présent.* » Puis, il a ajouté que nous devrions planifier plus souvent.

Liz reprend son souffle avant de poursuivre :

— Je crois qu'il a raison. Je ne planifie pas assez le futur. C'est un de mes gros défauts. Mon mari a suggéré que nous nous réservions une période de temps le samedi matin pour réviser nos finances. J'étais d'accord et lui ai dit qu'entre-temps, et dès le jour même, il serait bon pour nous de rassembler nos dossiers financiers et tous les documents nécessaires. Il a paru content de ma proposition.

– Cette discussion avec ton mari a amélioré ta vision du futur, constate alors Bill.

– Notre séance de planification financière a été profitable comme jamais. Nous nous sommes penchés sur des questions que nous remettions toujours à plus tard. Cette semaine-là, mon mari est venu vers moi et m'a enlacée très fort. Quand je lui ai demandé la raison de sa bonne humeur, il m'a répondu : « Je me sens tellement mieux dans ma peau. » J'ai voulu savoir pourquoi et il a dit : « En repensant à cette histoire, j'ai réalisé que j'étais si préoccupé par notre futur que j'étais incapable d'apprécier ce que nous possédons maintenant – *aujourd'hui* ! Je me suis échiné à gagner toujours plus d'argent et soudain j'ai compris que, même si j'encaissais un million de dollars par année, il resterait toujours des choses inabordables et des situations imprévues. »

– Et il a bien raison, de confirmer Bill.

– Il a fini par se rendre compte qu'il travaillait trop à son « futur financier » et qu'il ne profitait pas assez de son « présent familial ». Il avait oublié les *raisons premières* pour lesquelles il travaillait si fort.

— N'est-ce pas le lot de plusieurs personnes ? demande Bill.

— Oui, c'est vrai. Mon mari m'a avoué qu'il agissait comme si son but était de faire de l'argent alors que, en fait, c'était d'aimer et de soutenir sa famille avec ses gains financiers. Il a compris qu'il devait vivre chaque journée comme elle se présentait, et en toute conscience, plutôt que de tenter d'anticiper ce que serait le futur. Tant et aussi longtemps que nos enfants nous verraient heureux ensemble, ils seraient eux-mêmes plus heureux, et ce, peu importe la maison dans laquelle nous vivions et la voiture que nous conduisions. Il m'a révélé que, même s'il était essentiel de planifier le futur comme nous l'avions fait le week-end d'avant, nous ne devions pas vivre dans le futur. Il faisait maintenant la distinction entre *planifier* le futur et *vivre* dans le futur.

Pendant un moment, Liz garde le silence, sûrement en songeant à l'expérience qu'elle vient de vivre avec son mari.

— Réussis-tu à appliquer ce même mode de pensée au travail ? lui demande alors Bill pour la sortir de sa torpeur.

– Oui, je le fais. Récemment, nous avons reçu un rapport d'une de nos filiales nous annonçant qu'un de nos produits vedettes perdait du terrain. Des rumeurs se sont mises à circuler, des rumeurs selon lesquelles il y aurait des compressions budgétaires et des mises à pied. Un peu comme dans l'histoire, quoi !

– Quelles réactions as-tu observées au sein de ton entreprise, s'enquiert Bill.

– Beaucoup d'entre nous sommes devenus inquiets, car certains de nos camarades pouvaient perdre leur emploi. J'ai moi-même cherché à voir comment je pouvais intervenir et j'ai découvert qu'il nous fallait nous concentrer sur l'élaboration de produits améliorés et plus efficaces. J'ai distribué une note de service invitant tous les employés à réfléchir au futur de nos produits et j'ai prévu une rencontre de deux heures pour le lendemain matin. L'atmosphère était si dynamique que la réunion s'est prolongée d'une heure. Au moment du lunch, nous avions énormément progressé.

– Planifier le futur, n'est-ce pas ce que le vieil homme disait ?

– Exactement. Plus tard en après-midi, les gens ont proposé plusieurs façons valables d'améliorer la qualité de nos produits. En planifiant le futur, nous avons commencé à voir d'une manière

concrète ce qu'il nous fallait faire maintenant. J'ai
alors pu me concentrer sur les besoins actuels de
l'entreprise. À la fin de la journée, j'ai assisté à la
joute de soccer de ma fille. Là-bas, j'ai fixé mon
attention sur le présent, sur ma fille, et j'ai laissé
de côté mes pensées concernant les éventuels
produits. J'aurais bien l'occasion d'y réfléchir le
lendemain. Après la partie, j'étais là pour ma fille,
dans le présent, comme jamais je ne l'avais été
auparavant.

— Et c'est bien ainsi, de dire Bill.

— Bien sûr, j'ai saisi que *l'important au
moment présent* était une notion qui changeait
toujours. Or, mon but actuel est d'apporter une
contribution valable au travail et de mieux jouer
mon rôle d'épouse et de mère. Je me suis aperçue
qu'en me concentrant sur ce qui se passait dans
l'immédiat je réussissais beaucoup mieux. Et je ne
suis pas seule dans mon cas. Beaucoup de gens
dans mon milieu de travail et dans ma famille ont
aussi appris à vivre ainsi.

— As-tu partagé tes notes avec eux ? de
s'enquérir Bill.

— Effectivement, répond Liz, j'ai explicité mes
notes et rédigé le récit au meilleur de mes
souvenirs. Ensuite, j'ai raconté l'histoire à
plusieurs personnes. Cependant, je dois admettre
que certaines d'entre elles n'en ont retiré aucun

bienfait. Au travail, bien des gens ne comprennent pas le message sous-jacent de l'histoire du vieil homme. Toutefois, les personnes qui le saisissent ont un effet positif sur notre entreprise. Elles font vraiment toute une différence ! ajoute-t-elle.

C'est alors que Liz me fait une proposition :

– Aimerais-tu venir le constater par toi-même ?

– J'aimerais bien, répond Bill. Dès que j'aurai une minute, je te rendrai visite à ton bureau.

Liz jette un coup d'œil à sa montre. Il est l'heure de retourner au travail. Elle ramasse l'addition et dit à Bill :

– Je te remercie sincèrement, Bill, de m'avoir raconté l'histoire du présent. Elle a totalement changé ma vie.

– Ça m'a fait plaisir, Liz. Je suis heureux que tu en aies bénéficié autant. De plus, je suis enchanté que tu reconnaisses que plus les gens vivent et travaillent dans le présent, plus ils en bénéficient, de même que les gens qui les entourent et les collègues de travail, comme ce fut le cas pour toi.

– C'est un excellent modèle à utiliser, une source d'inspiration et un guide indispensable pour la vie au quotidien, de renchérir Liz. En utilisant le présent chaque jour, nous devenons plus heureux et nous nous accomplissons peu à peu, jusqu'à ce que le bonheur et le succès fassent partie intégrante de notre vie. Je vais certainement continuer d'appliquer ce modèle dans mon travail. Quand nous découvrons un bienfait, il est normal de vouloir en faire profiter le plus grand nombre de gens, et ce, le plus tôt possible. Lorsque les gens sont plus heureux et qu'ils obtiennent plus de succès, tant au travail qu'à la maison, tout le monde en bénéficie. Je vais continuer de partager ce récit avec d'autres personnes de mon entourage.

Dans un dernier sourire, Bill lui demande :

— Où est donc passée mon amie « la sceptique » ?

Liz, lui retournant son sourire, rétorque alors :

— Peut-être s'est-elle offert...

LE PRÉSENT !

Fin

Pour en apprendre plus…

D'autres produits et services portant sur *Le Présent* sont offerts aux particuliers et aux organisations. Pour les connaître, vous n'avez qu'à consulter le site :

THE PRESENT.COM

ou à téléphoner au 1 800 851-9311

L'auteur

Spencer Johnson est non seulement médecin mais aussi l'un des auteurs les plus appréciés et les plus respectés dans le monde. Il a aidé des millions de lecteurs à découvrir comment mener une vie plus heureuse en adoptant des vérités simples et profondes qui conduisent au bonheur et au succès, tant dans la vie professionnelle que dans la vie personnelle.

Spencer Johnson maîtrise parfaitement l'art de traiter les sujets complexes et de présenter, à l'aide d'histoires qui touchent directement le cœur et l'âme de ses lecteurs, des solutions simples et efficaces.

Il a écrit, seul ou en collaboration, de nombreux ouvrages qui ont été des best-sellers au *New York Times,* dont les grands succès internationaux *Qui a piqué mon fromage ?* et *Le manager minute®*, la méthode de gestion la plus populaire au monde rédigée en collaboration avec Kenneth Blanchard.

Après avoir obtenu un B.A. en psychologie de la University of Southern California, le docteur Johnson a reçu son diplôme en médecine du Royal College of Surgeons, en Irlande. Puis, il a effectué des stages à la clinique Mayo et à l'école de médecine de Harvard.

Il a été directeur des communications pour Medtronic (l'entreprise qui a inventé le stimulateur cardiaque), chercheur à The Institute for Inter-Disciplinary Studies, consultant au Center for Study of the Person et, plus récemment, boursier de la Harvard Business School.

Ses travaux ont capté l'attention d'importants médias, notamment *CNN, Today Show, BBC, Time Magazine, New York Times, USA Today, Wall Street Journal, Fortune, Business Week, Reader's Digest, Associated Press* et *United Press International*.

Les livres de Spencer Johnson, traduits dans plus de quarante langues, sont disponibles dans le monde entier.

Du même auteur aux Éditions AdA Inc.